阿芳的小吃 ②

南北小吃**72**變・台灣美食輕鬆做

蔡季芳 著

小吃成大吃

東森電視台
食全食美製作人＋主持人

原本阿芳在電視上的形象儼然是鍋具的代言人，因為她每天利用相同的鍋具烹煮不同的料理，但是我們食全食美邀請她來擔任示範老師，總不能和別人的形象重複或混淆吧，所以我要求工作人員和阿芳溝通，讓她專攻「小吃」，同時在節目中將她塑造成「全能的小吃殺手」，就這樣，阿芳真的成為了台灣螢幕上的「小吃料理王」了。

阿芳在節目上的小吃料理示範有幾個特色：

·絕對鉅細靡遺——阿芳示範的小吃絕對不會有藏私，所有的過程、細節、步驟……她一定交待得清清楚楚，目的就是要讓大家學會，而且，就算她想要藏私，旁邊還有我呢，一定會把所有的「撇步」通通挖出來。

·絕對原汁原味——這個部份是阿芳的特色，同時也是她龜毛的地方，對她而言，如果不忠於原味，不強調那個最傳統的做法，那不如不教，或者當做自己的創新料理來教，所以每次示範的時候她總是大道具小道具的準備一大堆，然後再一一說明。

·絕對易懂易學——這不但是阿芳教學的特色，同時也是我們節目一貫要求的方向，每次在上節目之前她都會實地的操作幾次，將步驟順清楚，務必站在觀眾的角度考量，希望所有的人看完節目之後都能自己動手做做看，而且還能做成功。

·絕對好吃美味——雖然這麼多的師傅老師在節目中出現，但是未必每個人的示範都能贏得滿堂彩，每一道料理都能惹得大家口水直流，阿芳就有這個本事，和我一搭一唱，把小吃說得活靈活現，讓所有人不停的邊看電視邊罵我們。

如今，繼之前的《阿芳的小吃》之後，阿芳再次整理了另一批在台灣熱銷大賣的小吃食譜，要「以文會友」、「以吃會友」，希望她的作品能夠嘉惠更多的讀者，甚至讓更多的人藉由小吃再度開創經濟奇蹟，讓台灣小吃成為「台灣大吃」！！

呷好逗相報

中廣「寶島向前行」主持人 楊鎮華

俗話說：呷好逗相報。

台灣人嗜吃、懂吃。出門靠一張嘴，嘴闊吃八方。一則說：一張嘴嚐百鮮、快活似神仙。可以說是一講著呷旌破瓦。

小時候的我就住在夜市附近，什麼筒仔米糕、肉羹、肉丸、扁食、羊肉麵線、紅粉圓……等等，可說的台灣小吃數也數不完。告訴大家：人是善變的，唯一不變的是你的口味。愛上了記住的味道，就一輩子不會忘掉，阿芳姐就是可以讓人永不改變的味道大師。

認識阿芳姐是在廚藝節目當中，真誠的教導、永不蓋招（藏步啦）。記得一道「鳳梨苦瓜雞」，讓我在庖廚當中信心大增。不管是煎煮炒炸、燜燉醬燒，各有其技，撇步卻是最重要的。烹調過程中前後程序似乎很重要，然而最重要還是過程中的小經驗，這就是在烹調當中不致失敗的竅門。

阿芳姐喜歡和我們分享經驗，雖說是一本小吃食譜，在這吃緊緊吃的年代裡，它會變得受用無窮，我想我們想知道的不是料理最終的口腹享受，而是烹調過程的參與，無盡的經驗分享，還是那句話：呷好逗相報！在此也感恩阿芳姐我們家庭生活，多增加了更多的味道。

分送幸福滋味

美食烹飪名師 李梅仙

　　說起我和阿芳的認識，要說是幾次活動、上節目牽的線，毋寧說我們是因「吃」而結緣。

　　來自台南、出身餐飲家庭的阿芳，自己擁有一手好手藝不說，每次聊到哪裡有好吃的，總是掩不住眉眼間的喜悅，恨不得「呷好道相報」，要大家相約來去吃好料，還跟人家老闆切磋琢磨，硬是要讓口中留下的好味道，在自己家裡的廚房重現！

　　該說這是職業病呢？還是料理人的執著？而且看阿芳認真的態度，不只是在各種小吃的外表上學了個十成十，甚至還對所使用的醬料、粉料做了深入的研究，在製作過程上更是一絲一毫都不馬虎，為的就是要將記憶中的味道做到分毫不差，將作品的完成度提升到百分之百！

　　或許就像阿芳所說的，小吃之於她，不僅只是食物的美味，還蘊含著滿滿成長歲月中的美好記憶。所以，她樂此不疲的四處嚐試，也慷慨的著書與大家分享，繼兩年前推出第一本《阿芳的小吃》之後，陸續又從南到北蒐羅出人氣小吃72款，以《阿芳的小吃2》呈現在各位讀者眼前。

　　我很高興阿芳找我寫這篇推薦序，也邀請大家和我一起來分享阿芳的小吃經！在前一本書裡面，阿芳說她在小吃中找到快樂，希望能藉自己出版的書分享給讀者，這份心意我收到了，也期望每個人都能跟隨著阿芳，在台灣特有小吃中感受到幸福的滋味！

4

有愛小吃

　　2003年11月，阿芳與幾位師傅在焦哥的帶領下「遠征」杭州，參加西湖博覽會舉辦的兩岸三地廚藝賽。很慶幸地，阿芳和孟老師搭檔，聯手拿下兩岸三地「小吃王」的寶座。

　　小吃，小吃，每個國家、民族都有當地人民喜愛的地方小吃。極具地方色彩的小吃，可能登不了大場面，但在地形、氣候、物產、人文的交互融合下，小吃總是為人津津樂道，而且「歷久彌新」。

　　自前一本《阿芳的小吃》書中，讀者朋友們應該都了解我為什麼那麼喜歡小吃，因為除了食物的美味，最重要的是小吃所蘊含的濃厚人情味！是的，就是這份濃厚的人情味，教阿芳如此愛不釋手，不斷留連、鑽研在各式各樣的地方小吃中。

　　在《阿芳的小吃》出版兩年後的今天，阿芳將屬於更私房的小吃、點心，再次整理成書。在這本書裡，不只有阿芳想和讀者們分享的美味，還有那魂牽夢縈的、成長歲月中的、關於當地小吃的美好記憶。這些伴隨著阿芳的美食記憶，現在就請您與我一起走入小吃天地，細細品嘗。

　　以前，阿芳每寫一本食譜書籍，總是習慣將所有食譜文稿都寫完之後，再寫自序，並藉由序文感謝所有一起工作的夥伴們。這一次稍有些不同，阿芳在此還要深深感恩的是，幾年來始終支持阿芳一路走來的讀者與觀眾，因為有你們，阿芳才有不斷向前的動力。套一句阿芳對小吃的註解——小吃在南部稱為點心，吃完點心就點暖您的心。阿芳用小吃感恩，祝福您，溫暖您的心。

搶救貧窮大作戰

兩、三年前，電視上出現一個日本節目——「搶救貧窮大作戰」，受到很多人的喜愛。這個節目的內容是，幫助陷入貧窮困境的家庭重新振作，安排當事人學習各項技能，期望藉由整體改造，走出人生難關，找到生命第二春。

節目內容最吸引人的是，被改造的當事人跟著不同的達人（專家），學習吃苦、努力不懈的精神。當然，透過電視節目的包裝，情節感人精采，店家重新營業後也都盛況空前，但是，過了一段時間後，製作單位也會接到觀眾的投書，說店家又走樣了………

其實，這個節目所呈現的現象，正是經營餐飲業，尤其是小吃行業最貼切的寫照。前兩年，世界性經濟衰退，台灣當然也受影響，阿芳在那段時間裡每天都會接到「求救」電話，希望阿芳傳授小吃的絕招，用以賺錢改善家中環境。

阿芳耐心聽完電話之後，常會委婉地拒絕，因為以「吃」創業是很慎重的事情，不是學會某一種小吃功夫就能成功賺大錢。沒錯，一碗蚵仔麵線可能會大排長龍，創造亮眼的經濟奇蹟，但其中的用心、自信、地點是否合適、地域性及飲食習慣，甚至待人接客的技巧，都是成不成功的要素。

在此，阿芳以自身在餐飲家庭長大、所見所悟的經驗及理念，送給想要藉小吃成就事業的朋友們「四個心」。

第一心：信心

要對自己的手藝有信心。信心來自哪裡呢？信心來自不斷的測試、改進，來自適度聽取先進的指教，以及不斷與人切磋廚藝。

第二心：細心

「病從口入」，「飲食衛生安全」何其重要。當把烹調功夫化為營業化之後，那瑣碎的工作流程，容易讓人又倦又累，若再遇上生意沒起色，更容易走樣。向來，阿芳對小吃攤的要求，總是連辣椒罐、牙籤筒都得洗得乾乾淨淨才算合格。這可不是阿芳潔癖，而是將小吃視為營利工具時，一種必然的尊重與體貼心。

第三心：恆心

每一家成功的名店，不管大店或小舖，都是從新開張起步，過程中的辛勞與苦處，只有經歷過的人才能體會。當然，阿芳的意思不是遇到問題仍然「持之以恆」，而是勇敢檢討問題所在，予以適度調整。阿芳相信，總有一天，用心的新店也會成為知名的老舖。

第四心：愛心

天下最美味的食物是「媽媽的味道」，其中最珍貴的就是媽媽的愛心。每一位餐飲業者如果都能抱持這種良善的心態，製作食物就像做給自家人吃一般，便能做出真正動人的美食，因為親切和善的待客之道，便是最頂級的調味料了。

目錄 —— Contents

012　就是「醬」樣子，才好

醬料，在小吃世界裡有畫龍點睛、錦上添花的加分效果。
在《阿芳的小吃》書裡，許多常用的小吃醬料阿芳都已詳述地介紹與示
範；而在《阿芳的小吃》沒有介紹到的醬料，是單元將詳細介紹——

072　基礎工夫・美味大車拼

Contents

024 羹湯麵飯·配菜

082 麵食・麵點

Contents

130 甜點小吃糖水冰

就是「醬」樣子，才好吃！

醬料，在小吃世界裡有畫龍點睛、錦上添花的加分效果。
在《阿芳的小吃》書裡，
許多常用的小吃醬料阿芳都已詳述地介紹與示範；
以下所介紹的，是本書小吃食譜所使用、而在《阿芳的小吃》
沒有介紹到的醬料。
有了它，就如同有了小吃的魔法寶。

Souse

> 當歸酒

能使小吃增香，如：四神湯、藥燉排骨……等。
賞味期：存放於陰涼處，可存放約12個月。

■ 材料

當歸片4～5片　川芎5～6片　枸杞1大匙
細冰糖1大匙　40°或60°料理米酒1/2瓶

■ 作法

❶將全部材料放入玻璃瓶中，加蓋浸泡2個月以上即成。

souse

< 豬皮凍

最宜做小吃的餡料，如：湯包、雞腳凍。
賞味期：裝罐冷藏存放可存放約2個月。

■ 材料

去油豬皮1斤　水3杯　蔥1根　薑2～3片
八角1粒　米酒2大匙

■ 作法

❶全部材料入鍋煮開，加蓋改中火煮40
　分鐘（圖①）。

❷過濾後，加入米酒。放涼，冷藏成凍
　狀即可。

> 甘味醬油膏

最宜做小吃的沾醬，如：蚵仔煎、黑白切…等。
賞味期：冷藏存放約2～3天。

■ 材料

醬油3大匙　糖3大匙　鹽1/4小匙　水2杯
日本太白粉2大匙

■ 作法

❶全部材料在小鍋中調勻，煮至沸騰糊化，熄
　火，靜置放涼，方可使用。

souse

< 甜辣醬

最宜做小吃的沾醬，如：龍鳳腿、蝦捲…等。
賞味期：裝罐冷藏存放，可存放約10天。

■ 材料

細紅辣椒粉1/4小匙　蒜泥1小匙　糖5大匙
番茄醬3大匙　水果醋（白醋亦可）2大匙
日本太白粉2大匙　水2杯

■ 作法

❶全部材料在小鍋調勻，移至爐火上煮開，
　至糊化後熄火。靜置放涼即成。

味噌

6號紅色素

> 辣味海山醬

最宜做小吃的沾醬，如：客家三角丸、紅燒肉……等。
賞味期：裝罐，冷藏存放，可存放約10天。

■ 材料

味噌3大匙　番茄醬3大匙　糖3大匙
細紅辣椒粉1/2小匙　糯米粉3大匙
水2杯　6號紅色素少許(不用亦可)

■ 作法

❶全部材料在小鍋中調勻。

❷煮至沸騰糊化後熄火，靜置放涼方可使用。

souse

沙拉醬

美式芥末醬

< 芥末沙拉醬

最宜做小吃的抹醬，如：營養三明治、口袋餅……等。
賞味期：裝罐冷藏存放，可存放約1個月。

■ 材料

沙拉醬1包　美式芥末醬2大匙

■ 作法

❶將兩種材料調勻即成。

< 麻 辣 醬

最宜做小吃的沾醬、調味料、湯底，如：麻辣紅燒豆腐……等。
賞味期：裝罐，冷藏存放，可存放約2個月。

■ 材料

A.油蔥酥1大匙　蒜頭酥1大匙
B.辣豆瓣醬3大匙　市售鹹味醬油膏3大匙　紅辣椒粉3大匙　花椒粉3大匙
C.胡麻油1/2杯　沙拉油1/2杯

■ 作法

① 油蔥酥、蒜頭酥剁成細末，與材料B的其餘料調勻後（圖①），再加入材料C。

② 以小火慢慢炒至油脂變成紅色辣油（圖②），香味溢出即可熄火。

③ 裝瓶後，悶放一夜即成。

souse

材料

A. 白蘿蔔1條（約2.5斤）　鹽1大匙
　　細砂糖2大匙
B. 粗味噌1.5杯　密封袋1只

作法

❶ 白蘿蔔削皮切大丁塊，以鹽、糖拌勻，放至出水變軟，再以冷開水沖淨瀝乾。

❷ 蘿蔔丁塊攤在盤上，放入冰箱冷藏室，不加蓋。風乾1-2天，至蘿蔔丁乾扁（或不醃鹽糖，直接吊掛室外風乾）（圖①）。

❸ 將乾扁蘿蔔丁與粗味噌放入密封袋中揉勻（圖②）。

❹ 密封冷藏2天後，即可取出食用。醃漬後的粗味噌，可煮湯或燒菜、燒魚。

＜日式醬蘿蔔

最宜做為小吃的配菜；或用來當作開胃爽口小菜，搭配粥品最為速配。
賞味期：需冷藏，約可存放5～7天。

< 鳳梨醬

最宜做為小吃的配菜，或用來燒菜、燒魚、煮湯，如：鳳梨苦瓜雞等……。
賞味期：可長期存放。

阿芳的經驗分享：醃漬鳳梨醬的罐子，以玻璃或耐酸鹼的專門醃漬罐為佳，這樣
久存後的醬料才不會變黑。此醬可煮魚類、鳳梨苦瓜雞，或燉藥膳肉湯提味用。

■ 材料

鳳梨1個（去皮後約2斤）　鹽2兩
紅辣椒粉1小匙　米粕豆瓣1/2杯
甘草3～4片　40˚或60˚料理米酒1杯

■ 作法

1. 鳳梨切片，加鹽、辣椒粉，放置出湯汁
   （圖①），約至容器8分滿。（約半天時間）

2. 將鳳梨連汁與米粕、甘草片交疊裝入醃漬
   瓶中（圖②），再添加米酒至9分滿，密封
   放置1個月即成。

米粕豆瓣

甘草

①

②

＜薑味黑糖蜜

最宜做小吃的沾醬、淋醬，或加水調稀
後做成甜湯，如：牛浣水……等。
賞味期：裝罐，需冷藏保存，可存放約
2個月。

■ 材料

老薑2塊　水4杯　黑糖1斤　桂圓肉1小塊

■ 作法

❶老薑拍碎，加水及桂圓肉熬煮至約剩2
　杯水。

❷黑糖加入薑水中，小火煮至完全融化
　（圖①），濾出薑渣，熄火。

❸靜置放涼，裝瓶冷藏保存。使用時可加
　熱水稀釋。

< 焦香蜜糖漿（鴉片糖漿）

最宜做小吃的糖蜜醬、淋醬，如：米苔目冰、豆花、剉冰……等。
賞味期：裝罐，置陰涼處存放（絕不可冷藏），可長期存放。

阿芳的經驗分享：這個糖漿的用途極廣，除了適用甜品涼水，製作麵食時，用其沾黏芝麻，烘烤後會產生炭燒的香味。阿芳特別要提醒您的是──烹煮過程中，火候要小，千萬不可攪動，做好後裝瓶也不可冷藏，否則會結晶、反砂凝結，成不了膏狀。

■ 材料

白砂糖1斤　熱水2.5杯

■ 作法

❶ 先取3/4杯糖，加1/2杯水，在小鍋中加熱，過程中不可攪動，待糖出現深金黃焦色，才以搖鍋方式讓焦糖顏色均勻。

❷ 待糖色呈現赭紅色，立刻離火，並加入2杯熱水（圖①），再加入剩餘的白糖（圖②）。過程中不可攪動，繼續以小文火熬煮約25分鐘，至糖完全融化成焦糖色的透明糖漿後熄火（圖③）。

❸ 靜置、放涼後，裝瓶，瓶口束上一條橡皮圈，抗螞蟻，放置室溫中。

< 甜酒釀

最宜加料調理成甜湯，如：酒釀湯圓等……。
賞味期：裝罐，置陰涼處存放，可存放約2個月。

■ 作法

1. 糯米洗淨，不泡瀝乾，放入乾淨無油的電鍋內鍋中，加水2杯，外鍋加1杯水，煮成9分熟的糯米飯（圖①）。亦可用電子鍋煮。

2. 材料B的白麴按成粉末狀（圖②），再加入白糖、冷開水調勻，即為酒麴水。

3. 將煮好的糯米飯挖鬆，放至微溫，倒入酒麴水拌勻（圖③），分別裝入2個約1公升的罐子。

4. 罐子中央以筷子搖出透氣孔洞（圖④），即可加蓋。放置溫暖處發酵，約2～3天即可冷藏。

5. 喜好酒汁量多者，可在發酵3～4天後加入材料C料冷開水，再加蓋放置發酵1～2天後放入冷藏保存。

■ 材料

A. 圓糯米1斤（4量米杯）　水2量米杯
B. 白麴1/3個　白糖1大匙　冷開水1杯
C. 冷開水約3杯（分成2罐）

 ①  ②  ③  ④

白麴　圓糯米

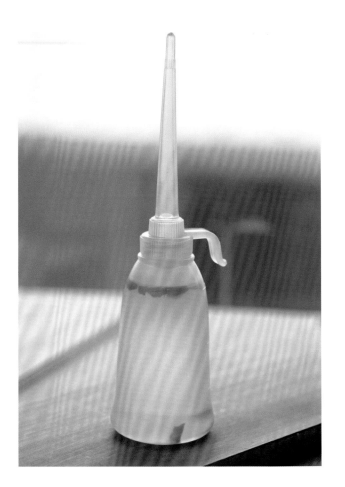

< 蔥油

最宜做小吃的調味、增香劑,如:清湯瓜子肉……等。

賞味期:裝罐,冷藏存放,可存放約2個月。

■ 材料

青蔥1小把　薑片3～4片
八角1粒　沙拉油1杯

■ 作法

❶ 青蔥切長段。與其餘材料入鍋,爆至蔥段略焦乾煸(圖①),熄火。

❷ 放涼後過濾,取出八角粒,裝瓶即成。

蔥、薑、八角

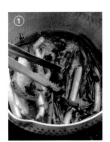

①

羹湯麵飯&配菜

當肚子傳達給嘴巴該吃點食物來暖腹時，腦子除家常飯菜，
可能就浮現市集、小吃中的種種美食，
也許是一碗麵、熱熱的羹，或是能快快飽食的爛肉飯……
五花八門，熱力十足，香在鼻頭，
美在嘴中，溫暖在肚裡！

$ DIY預算：150元

料理時間：1小時

示範份量：6人份

食用時段：正餐、點心

{ 基隆紅燒鰻 }

- 材料
  海鰻1段（約1斤）　扁魚3～4片
  大白菜1個　水6～8杯　地瓜粉1杯
  香菜少許　白胡椒粉少許

- 調味料
- A.醬油4大匙　蒜泥1/2小匙　蛋1個
  　五香粉1/4小匙　糖1大匙　白胡椒粉少許
  　紅糟2大匙
- B.醬油1大匙　柴魚粉2小匙　糖、鹽各適量

- 作法

1　海鰻從中剖開成大片狀，平片向下入熱乾鍋烙3秒鐘（圖①）取出，縱向順絲切粗條狀（圖②），以調味料A拌勻，冷藏一夜。

2　醃好的魚條沾上地瓜粉，放1～2分鐘（圖③），入油鍋炸熟撈起。

3　用餘油爆香扁魚至金黃色，夾起（圖④）。大白菜切大片下鍋，加水煮軟，湯汁以調味料B調勻，扁魚酥壓成碎末加入湯裡。

4　食用時，將炸好的鰻魚條盛碗，加上白菜湯，或將魚條放入白菜湯中略煮，撒上香菜末及白胡椒粉即可。

{ 阿芳的小吃經 }

海鰻的漁種期，在尾冬及初春季節，此時海鰻肥又大。它是一種富含膠質的魚類，但因為刺又大又粗，所以阿芳將它入熱鍋乾烙，讓魚皮膠質變性，這樣就好切多了。
切魚塊要順著魚刺方向切，吃的時候才容易把魚刺一根根取出，如果反了方向，原本長長的魚刺被切斷，變成好幾截短刺，這就慘了。

Q.如果買不到海鰻，可用什麼魚替代？
A.可以用魠魠魚或旗魚代替，這兩種魚肉口感紮實，但一樣可做出紅燒魚酥的口味。

$ DIY預算：60元

料理時間：30分鐘

示範份量：5—6人份

食用時段：正餐、點心

{ 客家三角丸 }

● 材料
● A.日本太白粉2杯　滾水1/2杯　冷水約1杯
　　沙拉油2小匙
● B.絞肉1/2斤　醬油5大匙　細油蔥酥4大匙
　　白胡椒粉1/2小匙
● C.大骨高湯4～6杯　芹菜末適量
　　辣味海山醬各適量（見本書第16頁）
● 調味料
　　柴魚粉、鹽、香油、白胡椒粉各適量

● 作法

1　以滾水淋入太白粉中，以筷子略撥（圖①），加入適量冷水揉成糰，再加入沙拉油揉勻，加蓋保濕。

2　絞肉取1/3份炒散，加入醬油炒香，熄火前拌入細油蔥酥，略涼後與其餘絞肉、白胡椒粉攪成黏稠狀，即為肉餡。

3　將粉皮分成36～40小塊，揉圓壓扁，放上適量肉餡，捏包成三角錐狀（圖②），全部依此法包好。

4　三角丸入沸水煮至浮起撈出（圖③），以冷開水加1匙沙拉油漂涼後撈起，以海山醬沾食，即為「乾式吃法」。高湯加調味料拌勻，加入三角丸及芹菜末，即為「湯式吃法」。

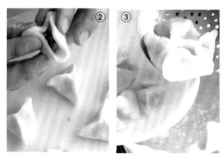

Tips

{ 阿 芳 的 小 吃 經 }

在竹東夜市，還可吃到這種手工製作的傳統客家三角丸。現在一般吃到的三角丸，大都是機器製作，兩頭呈角錐，所以又叫水晶餃。

阿芳我還是喜歡手工三角丸，不僅模樣秀氣漂亮，三角造型不管從哪一角度咬下，都吃得到肉餡。做這一道三角丸，就算不馬上吃，也一定要煮熟，撈起漂涼後瀝乾才算完成。食用時，重新回熱就可。

速配小吃：乾拌板條

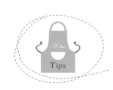

{阿芳的小吃經} 這道小吃雖然在台北華西街可吃得到，但自己做也不費事，還容易贏得眾人的掌聲。湯裡放麵條或作成泡飯都很速配。湯頭也可改用蘿蔔、冬瓜去熬。至於豬肉的部位，後腿肉口感較脆，煮熟後得先吹涼才不會糊。而蔥油呢，可是這一杯赤肉羹勝出的法寶呢！

速配小吃：滷肉飯

{清湯瓜仔肉}

● **材料**
後腿肉1斤　地瓜粉1杯
醬瓜1杯（帶汁）　嫩薑1小塊
蔥油少許（見本書第14頁）

● **調味料**
A.蛋2個　醬油3～4大匙　糖1大匙
　五香粉、胡椒粉各1/4小匙
　鹽1/2小匙

B.鹽、白胡椒粉適量

● **作法**

1　後腿肉切粗條狀，以調味料A拌勻，冷藏一夜入味；隔天拌入地瓜粉，抓揉至粉反潮（圖①），再略按壓。

2　另鍋，加水8杯水，燒開，放入肉條入鍋（圖②），以筷子略略攪動，煮至浮起，撈出吹涼，即為「肉羹」。

3　醬瓜入湯中煮開，加入調味料B煮勻。食用時，將肉羹加入湯中盛杯，撒上嫩薑絲，滴上蔥油即成。

Tips

{阿芳的小吃經}「卜」，台語音，在料理工法上是「炸」的意思。在頭城、三星、九份、鹿港這些早期通商開發較早的城鎮，都有「卜肉」、「卜雞」的菜色。「卜鴨」是宜蘭縣羅東鎮有名的小吃，早期當地盛產鴨隻，理所當然變化出這道美味的小吃。

現炸的卜鴨酥，可以像鹽酥雞一樣乾吃，也可淋上帶油的鴨湯，飄著綠綠的韭菜香，滋味很特別，很美味。讀者也可用雞胸肉做出一樣美味的「卜雞」。

{卜鴨}

- **材料**
  光鴨1/4隻　水8杯　韭菜1把
  地瓜粉1/2杯　冬菜1大匙
- **醃料**
  醬油3大匙　蒜泥1/2小匙
  糖1小匙　五香粉1/4小匙　蛋1個
- **醃料**
  醬油1大匙　鹽、白胡椒粉適量
- **作法**

1　鴨肉去骨切片，以醃料拌入味。鴨骨架加水，煮成「鴨高湯」。

2　地瓜粉拌入醃好的鴨肉中，一塊塊投入油鍋，炸酥成「卜鴨酥」。

3　鴨高湯加入冬菜煮開，以調味料煮勻。食用時取炸好的卜鴨放入湯杯，加上韭菜段，淋上熱鴨湯即可。

$ DIY預算：140元

料理時間：1小時

示範份量：8碗

食用時段：正餐、點心

{ 鮮筍蝦仁羹 }

● **材料**
草蝦仁半斤　魚漿半斤　地瓜粉2大匙
熟筍絲1杯　鴨蛋1個　柴魚片1小包
地瓜粉水適量　香菜末少許

● **調味料**
● A.鹽1小匙　糖1大匙　柴魚粉2小匙
● B.白胡椒粉、烏醋各少許

● **作法**

1　蝦仁洗淨，拭乾水分，以菜刀壓扁（圖①），拌上地瓜粉，再與魚漿揉成糰。

2　鍋中加水8杯，燒開，改小火，將蝦餡一撮一撮撥入熱水中，煮至浮起，撈出吹涼，即為「蝦仁球」。

3　筍絲加入煮蝦餡湯中煮開，加調味料A調勻，再用地瓜粉水芶芡，加入蝦仁球；鴨蛋打散，加入湯中撥成蛋片（圖②）；柴魚片揉壓成碎末（圖③），加入湯中。盛碗後加上白胡椒粉、烏醋、香菜末即可。

Tips

{ 阿 芳 的 小 吃 經 }
不論是肉羹、魚羹、蝦仁羹，都是藉食材中的蛋白質與澱粉產生黏稠凝結，經水煮定型後做成羹料。但要注意喔，剛煮好的羹料在熱的狀態下，會帶水軟糊，必須放涼後才會有結實Q脆的口感。所以，羹料煮熟定型後，一定要撈離湯水，讓風給吹涼，這樣才好吃。

{阿芳的小吃經} 豆籤看似麵條，其實是由米豆（廣東人稱「眉豆」）磨粉加工製成。老一輩的人說，豆籤的營養容易被人體吸收，而且吃多不脹氣。在現代化的大賣場、超市裡，不容易買到豆籤，阿芳大都在傳統市場周邊的南北雜貨店裡，或到鄉村旅遊時買到豆籤。用絲瓜搭配蚵仔煮豆籤，是鄉村最傳統又最對味的吃法。

大熱天胃口不好的人，可以試試這道豆籤的吃法，很清淡美味。

米豆（眉豆）

{三鮮豆籤羹}

材料

粗肉絲4兩　草蝦4兩　絲瓜1條
鮮蚵4兩　熟筍絲1/2杯
豆籤4～5把　地瓜粉4大匙
高湯8～10杯
豬油蔥2大匙

調味料

A.醬油3大匙　白胡椒粉1/4小匙

B.柴魚粉2小匙　鹽適量
　白胡椒粉少許

作法

1 肉絲以調味料A拌勻，略醃後拌入2大匙地瓜粉。蝦仁以刀拍扁，分別拌入2大匙地瓜粉略放。絲瓜切條塊備用。

2 高湯裡加入熟筍絲煮開，再加入絲瓜及豆籤略煮，以調味料B調勻。

3 將肉絲、蝦仁及蚵仔一一放入湯中煮熟。食用前加入豬油蔥提味即成。

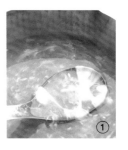
{阿芳的小吃經} 這是一道很經濟的小吃。沙茶羊肉羹的羹滷，作法與魷魚羹一樣。所以，除了準備羊肉片，愛吃魷魚羹的人可多備一些水發魷魚，多一種選擇。

至於羊肉的部位，購買時只要注意避開有筋有皮的部位就可。買瘦肉部位切成薄片，或買市售切好的羊肉片，經過醃料的加分，就可美味上桌。

速配小吃：臭豆腐

{沙茶羊肉羹}

- **材料**
  羊肉1斤　地瓜粉1/2杯　蛋1個
  柴魚片1小包　九層塔1把

- **醃料**
  醬油4大匙　薑泥1大匙
  肉桂粉1/4小匙　糖1小匙
  白胡椒粉1/4小匙　蛋1個

- **調味料**
- A.蒜頭酥1大匙　醬油2大匙
  　柴魚粉2小匙　鹽適量
- B.沙茶醬1/3杯　烏醋適量

- **作法**

1 羊肉切片，以醃料拌醃15分鐘，再拌上地瓜粉，入沸水鍋（鍋中水約8～10杯）燙熟，撈起，放涼。

2 煮肉的湯水加入調味A，再另調適量的地瓜粉水勾芡，打入蛋花（圖①）及揉壓成粉末狀的柴魚片，即為「羹滷」，以小火保溫備用。

3 湯碗中放入九層塔、沙茶醬、羊肉片，舀入羹湯，滴上烏醋即成。

35

$ DIY預算：100元

料理時間：25分鐘

示範份量：約6人份

食用時段：正餐、點心

{ 花蓮扁食兩吃 }

蝦油　　　　白醬油

● **材料**

細絞肉半斤　餛飩皮6兩

雞高湯5～6杯　芹菜1把

● **調味料**

● A.白醬油（或蝦油）2大匙

鹽1/4小匙　白胡椒粉1/4小匙

香油1大匙　水4大匙

● B.白醬油2大匙　鹽、白胡椒粉各適量

● C.豆豉辣醬

醬油、白醋、香油、花椒粉各適量

● **作法**

1　絞肉加上調味料A攪成黏稠狀，抹在餛飩皮上包成扁食。

2　取食用量的扁食入沸水煮熟。芹菜洗淨，切末。

3　碗中放入適量調味料B及芹菜末，舀入熱高湯，扁食撈起加入。除了湯食，亦可將扁食放在小碗中，加適量調味C拌勻食用。

扁食：燕子狀、繡球狀

{ 阿 芳 的 小 吃 經 }

扁食源自對岸的福建，當地稱為扁肉，個頭小而扁，很有型。講究一點的人，把扁食包成「燕子狀」，所以又稱「扁肉燕」。但是，燕子型的扁食只適合現包現煮，不適合冷凍保存，因為尖尖的燕子嘴、剪刀尾，冷凍後會變硬而碎裂。阿芳的建議是，包好的扁食若一次吃不完，需要冷凍保存，得包成「繡球狀」，扁食皮才不會碎裂。

至於調在內餡及湯頭裡的白醬油或蝦油，非常對味，它們是福建一帶最最傳統的調味料，阿芳都到傳統市場的雜貨舖買，沒用過的人可試試。

$ DIY預算：150元

⏱ 料理時間：1小時

🍚 示範份量：5—7份

🕐 食用時段：正餐、點心

{ 里港豬腳扁食 }

● **材料**

豬前腳1隻（切大塊）　黃豆3大匙

扁食約35粒（見本書第37頁）

大骨清湯適量　香菜末少許

● **調味料**

蝦油少許（圖①）　鹽適量　白胡椒粉適量

● **沾醬**

蒜泥2小匙　烏醋3大匙　紅辣椒隨意

● **作法**

1　豬腳塊入鍋，加水8～10杯，煮至沸騰（如圖②），
　洗淨雜沫。

2　將洗淨的豬腳放入快鍋，加水及黃豆，煮開後改小
　火煮10分鐘，熄火。（若用一般湯鍋，要加水約14
　杯，煮至豬腳可用筷子穿透。）

3　開鍋後，撈出豬腳，吹涼後切小塊。食用時，扁食
　另用沸水煮熟。杯中放大骨高湯、調味料、豬腳
　肉、扁食，加上適量豬腳原湯，放點香菜末即成。

4　沾醬調勻，沾豬腳肉、扁食細細品嚐。

{ 阿 芳 的 小 吃 經 }

屏東是寶島的養豬大縣，許多肉品加工廠也多設在屏東，豬肉也是當地有名小吃重要的
食材，如原汁豬腳湯就是一道非常美味的湯品。

燉豬腳時放把黃豆進去，可讓湯頭更甜更香，還有吸附油脂的效果。在屏東縣里港，除
了對入用豬絞肉做成的扁食，阿芳自己在家做時，喜歡燙把麵線或冬粉，紮紮實實一
杯，可當主食享用。

{ 黑白切米粉湯 }

黑白切

● **材料**

● A.嘴邊肉、豬皮、肝腱、豬肺各適量
　　水1鍋（約15～16杯）

● B.粗米粉1斤　蝦皮2大匙　油2大匙
　　方塊油豆腐適量

● C.綠梗芹菜1小把　豬油蔥1杯
　　燙熟韭菜1把　嫩薑絲1撮

● **調味料**

● A.柴魚粉1大匙　鹽適量　白胡椒粉適量

● B.蒜泥、醬油膏、芥末醬各適量

● **作法**

1　水燒開，加入材料A煮熟，撈出待涼白切。高湯留用。

2　蝦皮洗淨以油爆香，加入作法1的高湯及粗米粉、油豆腐煮滾，改小火，加蓋，煮15分鐘（或入快鍋煮至沸騰聲響，改小火煮2分鐘熄火）至米粉變軟，以調味料A調味。

3　食用時米粉湯盛碗，撒上芹菜末及適量豬油蔥，其餘食材隨意切盤，搭配燙熟韭菜、嫩薑絲及調味料B沾食。

{ 阿 芳 的 小 吃 經 }
這是台灣北部小吃，和香港人用來搭配燒鵝的瀨粉很像，原本阿芳也吃不慣，後來才發現一鍋煮得好吃的米粉湯，散溢著肉香、米香，還有油蔥香，唏哩呼嚕一杯下肚，尤其那提味的白胡椒粉，更有畫龍點睛的效果。
提醒讀者的是，這種米粉湯的煮法，若熬煮時間不夠，香氣、口感會出不來，所以阿芳我呢，想出一個好點子，用快鍋烹調，效果非常好而且又省時，甚至比用一般湯鍋煮的米粉還好吃呢！

$ DIY預算：200元

🔥 料理時間：1天

🍲 示範份量：6人份

🕐 食用時段：正餐、點心

{ 香菇肉粥&紅燒肉 }

蘭花干

油蔥酥

● **材料**
● A.五花肉2條　胛心肉片4兩　地瓜粉1杯
● B.大骨高湯約10～12杯
　　冷白飯4杯　蘭花干1塊　香菇4～5朵
　　蝦米2大匙　油蔥酥3大匙　青蒜末少許
● **調味料**
● A.醬油3大匙　糖1大匙　蒜末1小匙　紅糟3大匙
　　蛋1個　五香粉、白胡椒粉各1/4小匙
● B.鹽、雞粉、白胡椒粉各適量
● C.辣味海山醬適量（見本書第16頁）

● **作法**

1　胛心肉片用調味料A拌醃，冷藏一夜入味（圖①）。

2　五花肉去皮，拉平直，沾上地瓜粉略放1分鐘，入溫
　油鍋以中火炸至金黃色，改大火升高油溫後離油，
　切片。搭配青蒜絲、辣味海山醬食用。

3　以少許油爆香蝦米、香菇丁，加入大骨高湯煮開，
　加入蘭花干丁。胛心肉片沾上地瓜粉，一片片撥入
　湯中煮成肉羹，然後加入冷白飯，以調味料B調味，
　盛碗後撒上少量青蒜末即可。

①

Tips

{ 阿 芳 的 小 吃 經 }
阿芳每回做紅燒肉時，都會多醃一點肉，醃好後分小袋冷凍保存，平日做飯時，隨時拿
出來就是一道可上桌的肉品料理，連大人小孩帶便當都乾爽好吃。
阿芳知道有一種肉很好吃，叫二層肉（有人稱邊肉），都是瘦肉，又甜又脆，是內行人才
知道的好東西。但是因為一頭豬只有兩小片的二層肉，所以不容易買到。這裡的胛心
肉，如果用二層肉來做，滋味更好。

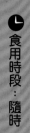

｛ 無刺虱目魚粥 ｝

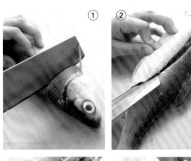
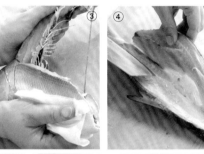
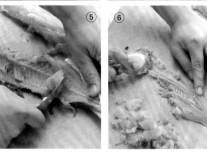

● **材料**

虱目魚1條　白飯4杯　蒜頭酥3大匙
芹菜、香菜各1小把

● **調味料**

柴魚粉1大匙　鹽1/2小匙　白胡椒粉少許

● **作法**

1 虱目魚不剖腹，先從頭部下用刀劃一圈（圖①），然後在兩面腹背上斜刀劃開（圖②），拉出無刺部份的魚肚（圖③），自魚背處片開成2大片（圖④）。

2 切下魚頭，用鐵湯匙自魚大骨上刮下魚肉（圖⑤），取下魚大骨。將魚頭、魚大骨放入滾水鍋（鍋中水約8～10杯）熬湯。

3 兩片魚背肉，帶皮一面貼在菜板上，用鐵湯匙從尾端向頭部方向刮下魚肉（圖⑥），最後用刀刮去留在魚皮上的刺，只留剝下的魚肉及魚皮。

4 魚湯煮開，夾去魚大骨，加入蒜頭酥、白飯、無刺魚肉、魚肚煮開，加入調味料，盛碗後撒上香菜末、芹菜末即成。

｛ 阿 芳 的 小 吃 經 ｝

到台南旅遊，很多人都知道要吃虱目魚粥，位於公園南路的老店「阿憨鹹粥」，便是阿芳回台南時一定要光顧的。只要詢問店家「骨肉」，就是指無刺的虱目魚。這種刮肉去刺的手法，目前仍由店奶奶執刀！

阿芳曾在「食全食美」節目中示範過，還締造了開播以來最高收視率。台南人吃魚的真功夫，阿芳在這裡教給您。

{ 蚵仔仁飯湯 & 蚵仔酥 }

● **材料**
- A.鮮蚵1/2斤　地瓜粉1杯　冰塊、冷開水各適量
- B.大骨高湯10～12杯
  香菇5～6朵　熟筍絲1杯　冷白飯5～6杯
  蒜頭酥2大匙　芹菜適量
- C.鮮蚵1/2斤　蛋黃1個　地瓜粉1杯　九層塔1把

● **調味料**
- A.柴魚粉2小匙　鹽、白胡椒粉各適量
- B.白胡椒粉適量

● **作法**

1　鮮蚵以抓過沖淨瀝乾，拌入地瓜粉，全部倒入沸水鍋中（圖①），以筷子攪動（圖②），待蚵分散浮起即可撈出（圖③），放入冰塊與冷開水中冰鎮。

2　材料B的高湯，加上泡軟的香菇絲、筍絲煮開，以調味料A調味。食用時加入白飯、蒜頭酥、蚵仔仁、芹菜末即成「蚵仔仁飯湯」。

3　材料C的鮮蚵拌入蛋黃，再拌入地瓜粉，一次投入熱油鍋中，以筷子攪散，炸至金黃色即可撈起。九層塔亦入鍋炸酥，與炸好的蚵仔盛盤，撒上白胡椒粉，即成為「蚵仔酥」。

{ 阿 芳 的 小 吃 經 }

台灣是海島國家，西部海岸漁港多，幾乎有漁港就有「蚵」，然而每個地方吃蚵的方式不盡相同。在中部，青蚵是裹上一層粉燙熟，再加湯料來吃，這種吃法就叫「蚵仔仁」，也有人稱「蚵仔鏈」。至於湯飯，從日據時代而來，是「湯泡飯」的意思。兩者差別在於，前者粥汁米糜，後者湯爽米糯。

阿芳小時候最愛媽媽大熱天中午煮的「飯湯」，雖然湯熱，吃完一大碗滿頭大汗，感覺清爽無比，真是夏天最開胃、吃飯最有效率的方法。如果天氣熱，不想炸蚵仔酥，可以把燙熟的、冰過的蚵仔仁沾上芥末醬油，像極了吃生魚片、生蠔般鮮美的味覺。

$ DIY預算：70元

⟳ 料理時間：1.5小時

🍲 示範份量：16塊約8份

🕐 食用時段：正餐

{爌肉飯}

八角、桂皮

● **材料**
● A.五花肉1塊（約1.5斤）
　　醬油2大匙
● B.蒜仁5～6粒　　紅辣椒1根
　　八角1粒　　桂皮1小段
● C.白米3杯　　熱水3杯
● **調味料**
● A.醬油膏1/2杯　　醬油1/3杯
　　水3杯　　冰糖1大匙
● B.白胡椒粉適量

● **作法**

1　五花肉切約1.5公分片狀，以2大匙醬油拌勻。

2　肉片入鍋，兩面煎至上色（如圖①），加入材料B及調味料A煮開，加蓋改小火燉1小時。

3　材料C的白米洗淨，加入熱水，用電鍋以一般煮飯方式煮成熟飯。食用時鬆飯盛杯，撒上白胡椒粉，淋上肉汁，放上肉片即成。

{阿芳的小吃經} 一片好吃的爌肉，舀個滷汁淋在熱騰騰的飯上，讓人食慾大開。提醒讀者，醬油的好壞會影響爌肉的成色、口味和香氣，阿芳建議：最好用純釀造、鹹味不會過重的醬油，這裡是用醬油膏降低醬油的用量，這樣爌肉的醬色才不會過深，肉片滷至Q軟不糊時，也才不會太鹹！

速配小吃：魚丸湯

Q.為什麼生米不用泡，而且還用熱水煮呢？

A.這樣可以避免米心被泡糊，煮好的米飯才會粒粒分明，淋上滷肉湯汁後，口感更鮮。

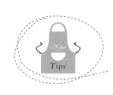

{阿芳的小吃經} 這是阿芳出外景節目時,在竹東客家莊嚐到的美食,比起傳統夾酸菜的刈包,它顯得更有變化。不喜歡吃肉的讀者,單單夾梅乾菜配著,一樣好吃。提醒讀者,刈包一定要蒸熱蒸軟,但要注意不能蒸過久,尤其一般家用蒸籠或電鍋,因為多半是金屬製,並不透氣,蒸得太久刈包會變濕,壞了口感。

梅乾菜

$ DIY預算:200元

料理時間:2小時

示範份量:約10份

食用時段:正餐

{梅乾扣肉刈包}

材料
A.爛肉1鍋(見本書第49頁)
　梅乾菜2紮　水1杯
B.刈包1包　花生糖粉1杯
　香菜1把

作法

1　梅乾菜泡軟充分洗淨,切細段,加入肉汁及水煮開,加蓋改小火滷30分鐘,再加入爛肉片續滷10分鐘。

2　食用時,刈包蒸熱,內鋪花生糖粉,放上爛肉以及壓去湯汁的梅乾菜,最後夾入香菜即成。

{阿芳的小吃經} 吃白米稀飯會胃酸不舒服的人，綠豆小米稀飯是一種好選擇。假日阿芳通常睡得晚，也起得晚，便煮這道小米稀飯當早午餐。它輕鬆好煮又方便，煮時豆香四溢，喝完通體舒暢。大人配鹹味小菜，小孩喜歡添點糖，各取所需。

如果不想自己動手做，阿芳推薦讀者到台北市中華路國軍藝文中心對面的張記餡餅粥店，就能喝到店家細火慢熬的小米稀飯，還有任君選擇的多款小菜，再配個水煎包，享受一下真正的北方口味。

速配小吃：山東水煎包

{綠豆小米稀飯}

● 材料
● A.綠豆1杯　小米1杯　麥片1/2杯
　　白米1/2杯　水約14杯
● B.醬蘿蔔（見本書第18頁）
　　或白砂糖適量

● 作法

1 材料A全部材料洗淨，入湯鍋煮滾，攪勻後加蓋，改小火煮30分鐘至湯汁濃稠。

2 食用時可搭配醬蘿蔔，或加入適量砂糖甜食。

{ 糯米腸 }

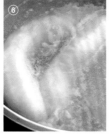

● **材料**
圓糯米1斤　生大腸約1斤　熟花生半斤
油蔥酥3大匙

● **調味料**
鹽1小匙　白胡椒粉1大匙

● **沾醬**
醬油膏適量　蒜泥少許　香油少許

● **作法**

1　糯米洗淨，以清水浸泡1小時以上，瀝乾，加上熟花生、油蔥酥及調味料拌勻。

2　生大腸以鹽、麵粉揉洗沖淨，以綿繩紮緊一頭（圖①、圖②），另一頭套入漏斗（圖③）。

3　灌入作法1的米料至7分滿（圖④），分段紮緊，再以清水洗淨外層（圖⑤），並將米粒弄均勻。

4　灌好的大腸入冷水鍋煮至沸騰，改中火煮20分鐘（圖⑥），熄火再泡10分鐘後取出，放至微溫切片。搭配沾醬或夾入烤好的香腸裡享用。

{ 阿芳的小吃經 }

每年中秋烤肉，家人都期待阿芳灌糯米腸，因為糯米腸經炭火一烤，香味四溢，入口皮脆米香，孩子們還用它來夾烤香腸呢！

市場上賣的糯米腸，大多是人工腸衣灌製，外型規則，樣子雖然很漂亮，但就少了那股大腸花生糯米煮出的香味。這裡所示範的灌大腸細部分解動作，可是阿芳傳承自媽媽的手藝。提醒您，如果沒有大孔洞的漏斗，可以用寶特瓶代替，只要把瓶頭切下一段就可，非常實用又環保。

速配小吃：甜不辣

{古都喜慶滷麵}

● **材料**

● A.腿肉片1/2斤　蛋1個　蒜泥1/2小匙
　　五香粉1/4小匙　醬油4大匙　糖1大匙　地瓜粉1/3杯

● B.油麵1斤　細米粉1/2斤　劍蝦1/2斤
　　豆芽、韭菜共1斤　香菜末1杯

● C.青蔥段1小把　扁魚5～6片　香菇絲6～8朵
　　熟白蘿蔔丁、紅蘿蔔丁、金針各1杯　大白菜絲約1斤
　　地瓜粉、太白粉混合水適量　蛋2個

● **調味料**

● A.蒜頭酥3大匙　醬油、鹽、糖、柴魚粉、胡椒粉各適量

● B.蒜泥2大匙　冷開水4～5大匙　烏醋1/2杯

劍蝦

扁魚

● **作法**

1　材料A先醃入味再拌地瓜粉，入沸水鍋（鍋中水約12～14杯）燙熟撈起，吹涼成赤肉羹。油麵、米粉分別入沸水中燙過，撈起放涼。劍蝦入水中燙熟，取出剝成扇尾蝦。韭菜、豆芽入水中燙熟撈起。留下前述燙煮材料的湯水備用。

2　另鍋，加油1/2杯，燒熱，先爆香蔥段成蔥油，盛起一半油備用，餘油爆香扁魚成扁魚酥，夾出。下香菇絲爆香，再倒入作法1.的湯水及材料C的蘿蔔丁、大白菜絲，加調味料A拌勻後，再用混合粉水勾濃芡，打入蛋花，熄火前，加入壓碎的扁魚、赤肉羹、蔥油，即為「滷羹」。

3　取麵碗，放上適量的油麵或米粉，加豆芽菜、韭菜，淋上滷羹及已拌勻的調味料B，擺上扇尾蝦及香菜末即可。

{ 阿 芳 的 小 吃 經 }

台南一帶，喜慶多半用晚宴外燴形式。中午，主人就請總鋪師煮一大桶滷麵，除了家人自個兒吃，左右鄰居及前來幫忙的親友也一起分享。

這種滷麵，雖然材料的準備上較複雜，但就是有大廚師的味道，朋友們不妨學起來，當作傳家私房麵，家中辦喜事時，也可學著派上用場。

滷麵裡的油麵，關廟一帶是改用當地日光曝曬的關廟麵，米粉則用最細的炊粉，這樣才能把美味的羹滷給吸上來。至於上頭擺的兩隻鳳尾蝦，是用台南小吃中最被偏愛的劍蝦，甜味十足。調味呢，台南人較偏愛甜味，讀者視個人口味再調整。

{阿芳的小吃經} 台南有一家很有名的豬心冬粉店，老闆笑臉迎人，讓人覺得豬心冬粉真是好吃！它可是阿芳心中最有禮貌的微笑店家。最有趣的是，在此低生育率時代，老闆倒生了8個孩子，阿芳開老闆玩笑說，是不是常吃豬心冬粉才會這麼多子多福氣！

這一碗燉豬心，阿芳試了好多次，結論是要用家中電鍋來燉，豬心才會「熟而不硬」，也才能和台南老闆用錫罐隔水加熱所燉的豬心同款好吃。自己做豬心湯，很有價值感喔！

速配小吃：筒仔米糕

當歸酒

{豬心冬粉}

● 材料

A.豬心1個　參鬚1/2把
　薑片2～3片　枸杞2大匙
　冷水5杯

B.大骨高湯約5杯　冬粉4～5把
　嫩薑絲1小撮

● 調味料

鹽適量

當歸酒或米酒適量

● 作法

1　豬心劃開一刀，洗淨血管中的血塊，整球不切與其餘A料入電鍋，外鍋以1杯水燉熟，取出吹涼切片。豬心參湯備用。

2　豬心參湯加上高湯煮開調味。冬粉泡軟，略燙盛碗，鋪上豬心片及嫩薑絲，淋上湯汁，滴少許當歸酒即成。

{阿芳的小吃經} 很多人以為新竹最有名的是米粉，其實「鴨肉麵」也是有名的小吃。濃濃的鴨湯、粗粗的油麵，加上嫩嫩的鴨肉，吃完連手指都要舔一舔呢！

過年過節時，很多人都會買茶鴨、茶鵝應景，吃完後留下的雜骨頭丟之可惜，阿芳習慣拿它冷凍保存，只要碰到一兩個人吃飯不好煮時，就用它煮鴨肉麵，省事又好吃。如果你想自己做茶鴨，只要把大鴨塊蒸熟，趁熱抹上鹽，再參考本書第65頁的燻滷味方式，就行了。

{新竹鴨肉麵}

● **材料**
　煙燻茶鴨1/4塊　　水6～8杯
　粗油麵1斤　豆芽、綠韭菜共1斤

● **調味料**
　雞粉2小匙　　鹽、白胡椒粉各適量

● **作法**

1　卸下茶鴨鴨骨（可請店家代勞），鴨肉以菜刀略拍鬆切片。鴨骨加水煮成鴨骨高湯，撈除鴨骨。

2　食用時取適量鴨骨湯煮開，加入油麵煮約1分鐘，調味後，加入豆芽、韭菜及適量鴨肉片略煮即可。

$ DIY預算：300元

料理時間：1.5小時

示範份量：14—15份

食用時段：正餐

{ 好吃雞肉 }

● **材料**

土雞1隻　沸水1大鍋（可淹過雞之量）　冰塊1杯

● **沾醬**

雞湯1/2杯　冰糖1大匙　市售醬油膏1/2杯

米酒3大匙　豬油1大匙　辣椒末適量（不放亦可）

● **作法**

1　煙雞洗淨，瀝乾血水。鍋中水燒開，手提雞頭，入沸水燙10秒，提起，再泡10秒，提起。如此重複三次後，馬上用冰塊擦拭雞身，可讓雞皮Q脆（圖①）。

2　原鍋熱水再燒開，放入雞，加蓋，用中火煮5～10分鐘（視雞隻大小而定），熄火，泡30～40分鐘。掀蓋，拿筷子從雞兩翅膀間架入，將雞提出雞湯（圖②），待微涼後用保鮮膜覆蓋，留些透氣孔，放至全涼。

3　混和沾醬材料，煮開，放涼。雞切塊排盤，淋上沾醬汁即可。

{ 阿 芳 的 小 吃 經 }

「好吃雞肉」是台灣北部很普遍的小吃，除了白切雞，還有雞油飯、用煮雞的湯油滷筍絲等吃法，搭配個白菜滷、炸豆腐，就是豐富的一餐。讀者若嫌煮全雞麻煩，可用半土雞（俗稱風仔雞）的大雞腿代替，這種雞腿的肉質很好吃。

阿芳提醒您，煮雞的火候要特別謹慎，火太大雞皮會破掉，火太小骨頭易夾血，我認為「中火加泡爛」煮出來的肉質恰恰好吃喔！

速配小吃：雞肉飯

{ 豆乳雞 }

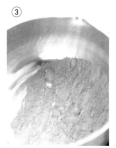

● **材料**
　帶骨雞胸肉2副　　地瓜粉1杯　　九層塔1把

● **醃料**
　麻油豆腐乳3塊　　醬油2大匙　　蒜泥1小匙　　糖1大匙

● **調味料**
　白胡椒粉2大匙　　鹽1/2小匙

● **作法**

1　將豆腐乳壓成泥狀（圖①），與其他醃料調勻。雞胸肉切成小塊，拌入醃料，冷藏約1～2小時。

2　醃好的雞肉拌入地瓜粉，略放待粉反潮（圖②），入熱油鍋用中溫炸熟撈起。炸油重新加熱，油溫升高後，雞塊再回炸1分鐘，九層塔亦入鍋快炸一起撈起，瀝乾油分。

3　調味料入乾鍋，小火炒香（圖③），裝瓶，食用時適量撒在炸雞上。

{ 阿 芳 的 小 吃 經 }

「豆乳雞」是「鹽酥雞」的兄弟。說起鹽酥雞，它簡直是全寶島的國民小吃，大街小巷、熱鬧夜市常見有攤車販售，但是口味總千篇一律，吃久了難免膩。這道來自高雄地區的豆乳雞，用發酵的豆腐乳醃漬雞肉，油炸後肉質散發著淡淡的酒香，風味很特殊。阿芳認為它相當有創意，值得讀者一試。

{阿芳的小吃經} 紅燒豆腐最大的特色，是豆腐口感要軟滑細緻。所以，豆腐入味的方式要用「泡」，而不是滷。至於烹煮時不加鍋蓋，是為了避免豆腐內裡產生蜂巢狀；而厚厚的豬油呢，除了有提香、保溫的效果，重點是，它可讓豆腐又軟又嫩，反之，沙拉油就沒有這項優點了。

速配小吃：台南米糕

{紅燒豆腐}

● **材料**
豬油1.5杯　蒜仁1杯
板豆腐1板　水5～6杯
醬油膏2.5杯

● **調味料**
麻辣醬隨意(作法請見第17頁)

● **作法**

1 蒜仁略切小粒，用豬油炸至金黃色略微脫水（圖①），加入醬油膏及水煮開。

2 板豆腐切大塊入湯汁，不加蓋煮開，熄火，加蓋浸泡一夜。

3 食用時，打開鍋蓋重新煮開，撈出盛盤，淋上少量醬汁。嗜辣者，可加麻辣醬，即成麻辣紅燒豆腐。

①

{阿芳的小吃經} 虱目魚若用煎的，怎麼煎才不會被油爆傷？
——台南人取下無刺的虱目魚肚，也常用香煎的方式料理。要
注意的是，虱目魚皮膠質豐富，入鍋時若魚皮面貼鍋，便容易
油爆。阿芳的方法是，空鍋燒熱，加少許油，魚抹上鹽，肉先
向下入鍋，加蓋小火煎3分鐘熄火，開蓋翻面，再蓋鍋，重新
開小火慢煎，仔細聽油爆聲——從小聲到強烈再到弱，甚至無
聲時，表示魚皮已煎得香酥。此時熄火開蓋，取出魚肚，皮面
向上盛盤，趁熱撒上白胡椒，香酥魚肚請上桌。

煎虱目魚肚

{鳳梨醬燜魚頭}

● **材料**

虱目魚頭2～3個
醃漬鳳梨醬1/4杯（作法請見第19頁）
九層塔1把　薑3～4片　水1杯
沙拉油1大匙　糖1小匙

● **作法**

1　虱目魚頭洗淨，瀝乾，加上其餘材
料入鍋煮沸，撈去浮沫，改小火加
蓋煮5分鐘至入味即可，起鍋前加入
九層塔提香即可。

$ DIY預算：視食材份量而訂

◔ 料理時間：1.5小時

◉ 示範份量：小家庭份量

◷ 食用時段：配菜、點心

{ 冰鎮燻滷味 }

● **材料**

● A.鴨翅、鴨舌頭、雞翅、鴨胗、米血糕等各適量

● B.老薑1塊　桂皮2段　八角3～4粒　陳皮3～4片
　　粗鹽1/2杯　雞油1杯　水12～14杯

● C.二砂糖1/2杯　白米1大匙　茶葉1大匙　八角2粒

● D.香油適量

● **作法**

1　材料B（圖①）放入不鏽鋼或陶質湯鍋煮開，改小火
　　再煮15分鐘，撈去雞油渣即為「滷水」（圖②）。

2　滷水燒開。材料A去雜毛、洗淨，放入滷水中，以中
　　火煮5分鐘，熄火，加蓋浸泡約30分鐘至1小時（視
　　食材厚度而定），撈起瀝乾。

3　炒鍋中鋪上鋁箔紙，放上材料C（圖③），架上鐵
　　網，再擺上滷好的食材（圖④），開火，待起煙即加
　　蓋，改中火燻3～4分鐘，熄火，再燜5分鐘。取出，
　　滾上香油定色即可。

{ 阿 芳 的 小 吃 經 }

每回阿芳回台南娘家，總是受人所託帶這帶那，要的都是台南好吃的土產，其中受託量
最大的就屬這冰鎮滷味，它好像有股說不出的吸引力，老少皆宜，愈多愈好。只是，冰
鎮滷味要吃得高興，花費可不低，所以學會自己做吧，可變化的食材多著呢！

有人覺得自己做滷味很麻煩。其實，阿芳認為，自己做滷味，一次多做一點，放冷凍室
保存，想吃的時候拿出來解凍就可，而且冰過的滷味滋味更棒。用過的滷水，冷凍保
存，下次做時就可重複使用。

$ DIY預算：100元

料理時間：1.5小時

示範份量：20個

食用時段：配菜、點心

{ 凍頂黃金蛋 }

● **材料**

● A.鴨蛋20個　冷水1鍋（淹過蛋）　白醋2大匙

● B.醬油2大匙　鹽1小匙　酒1大匙

● C.二砂糖1/2杯　麵粉2大匙　八角2粒
　　茶葉、米各1大匙

● D.香油少許

● **作法**

1　鴨蛋加冷水及白醋，開大火煮，邊煮邊輕攪（圖
　①）。計時，以開始煮算14分鐘，或水沸騰後3分
　鐘。熄火後，以冷水降溫，剝殼漂涼。

2　蛋拭乾水分（圖②），加入材料B滾勻，醃1小時。

3　炒菜鍋鋪鋁箔紙，放上材料C，架網放上蛋（圖
　③），加蓋煙燻3分鐘，熄火後蓋至煙散，取出（圖
　④），再滾上香油即成（圖⑤）。食用時，可用綿線
　對拉成兩半擺盤。

{ 阿 芳 的 小 吃 經 }

黃金蛋的作法，看似簡單，要做得好可得「步步為營」。

首先，蛋太新會不好剝殼，最好冷藏個3～4天再製作。再者，蛋邊煮邊輕攪，是要讓蛋
黃集中在整顆蛋中間；蛋煮好後漂涼，水的溫度不能太涼，溫溫的就得剝殼；等剝好殼
後再漂涼一次，這樣蛋膜就不會黏在蛋白上了。至於煮蛋的鍋具，以材質厚度來說，薄
的比厚的好。

醃燻功夫的拿捏，更是成功的要點，得顏色不能過深，才不會有酸碳味，所以呢，阿芳
便在燻料中加入白米及茶葉，與焦糖酸鹼中和。

$ DIY預算：80元

料理時間：50分鐘

示範份量：15—18支

食用時段：配菜、點心

{ 瑞芳龍鳳腿 }

● **材料**

A.絞肉4兩　洋蔥丁1杯　高麗菜丁1.5杯
　紅蘿蔔絲1/4杯　魚漿半斤

B.豬網油約1/2斤　竹筷5雙　麵粉1.5杯
　甜辣醬適量（見本書第15頁）

● **調味料**

A.蒜泥1/2小匙　醬油3大匙　糖1大匙
　五香粉1/4小匙　白胡椒粉1/2小匙

B.鹽1/4小匙　香油1大匙

● **作法**

1　絞肉以調味料A拌醃入味約30分鐘；洋蔥丁、高麗菜丁、紅蘿蔔絲以調味料B拌勻略放，再擰乾湯汁。兩者與魚漿拌勻成「餡料」。

2　豬網油攤在菜板上，放上一球餡料，擺上1/2段的筷子或竹籤，網衣拉起包成雞腿狀（圖①），切開網衣沾上麵粉，入油鍋炸至金黃香酥即成。

3　搭配甜辣醬食用。

{ 阿芳的小吃經 }

這是生長在九份的阿芳的先生最喜歡的小吃。在他孩提時代，即使生活在產金的礦區，一般家庭生活水準其實都不高，每當逢過年過節，一隻雞兩隻雞腿那夠家中孩子們分食，因此靈巧的媽媽們就用豬肚旁的網油，用魚漿餡料包成雞腿狀，串上竹籤，對孩子來說就是最棒的雞腿美味。正因為有魚漿有絞肉，所以又稱為龍鳳腿。現代生活條件富裕，即使有雞腿孩子們也不一定愛吃。

龍鳳腿的記憶，一家之主記憶猶新。每年清明節，阿芳與先生回九份掃墓，下山後他一定到瑞芳街上買2隻龍鳳腿，吃著吃著，說還是以前媽媽做的好吃，因為有孩子的記憶，有媽媽的味道……

$ DIY預算：80元

料理時間：20分鐘

示範份量：8至10串

食用時段：配菜、點心

{ 淡水蝦卷 }

● **材料**
● A.草蝦仁6兩　絞肉1/2斤　薑末1小匙
　　青蔥末3大匙　蛋白1個　太白粉1大匙
● B.餛飩皮4兩　甜辣醬適量（見本書第15頁）
● **調味料**
　鹽1/2小匙　白胡椒粉1/4小匙　香油1大匙

● **作法**

1　材料A的蝦仁洗淨，拍成蝦泥剁碎，加入材料A的其餘材料及調味料攪成黏稠狀的「蝦餡」。

2　取餛飩皮抹上蝦餡，對角捲成圓卷狀（圖①）。約3卷以竹籤串成一串（圖②）。

3　蝦卷串入油鍋炸至金黃，搭配甜辣醬食用。

{ 阿 芳 的 小 吃 經 }

這幾年，拜捷運所賜，每逢假日，淡水必湧進大量的人潮，走老街、訪古蹟、坐渡輪、吃小吃……是每個造訪淡水的遊客一致的行程。其中，蝦卷幾乎是人手一支──新鮮的鮮蝦餡料、炸得金黃酥脆的外皮，配上沾醬，很容易讓人不自覺地一支接一支。
其實，自己DIY一番，輕輕鬆鬆地，就能讓一家子吃得很開心！而且，現在家庭的人口都少，買一包餛飩皮若都包成餛飩，可能一時半刻也吃不了那麼多，變化一下手法，做做蝦卷，也不錯！

基礎工夫、美味大車拼

作小吃、作料理，廚藝者就像服裝裁縫師，每種看似平凡的布料、配件，
加上巧手的裁縫工序，就能縫製出一件件漂亮又合宜的衣裳。
但是，用什麼布？怎麼裁？配什麼線？多粗的縫針？
就像料理中的用料，
料理工序、技巧拿捏，弄懂了一點訣，美味自然信手拈來。

Powder

認 識 粉 料　　穠 纖 合 度

料理用的粉料甚多，是煮料理、作小吃的好幫手。但是，什麼時候用地瓜粉，

什麼時候用太白粉，什麼時候又該用日本太白粉？而日本太白粉和太白粉又有什麼不同？

從下面詳細的介紹，讀者可以進階認識這些常用又實用的廚房用粉料。唯有認識粉料，

了解粉料，才能充分自如地運用它。

●地瓜粉

它是家常羹湯勾芡常用的澱粉。一般概念中，地瓜粉就是地瓜乾製磨成的澱粉，但在台灣加入WTO之後，因為價格的因素，現在市面上所售1斤約15元的地瓜粉，多為泰國進口，但原料已經不是地瓜了，而是泰國占全世界產量第一的「樹薯」所乾製成的細粒狀澱粉，呈潔白乾鬆狀態。

因樹薯含水量高，用這種地瓜粉勾芡，攪動後容易化水。又因漂白加工因素，它的生粉味極重，需以糖、醬味、胡椒等調味來改善，如本書中的「豆乳雞」即是一例。

●番薯粉

又稱「本產地瓜粉」，原料是番薯，也就是地瓜。它的市價1斤約30～35元，比進口地瓜粉高出一倍之多，但是製作出的食物，彈性好，口感也佳，更不會有生粉味。

目前，市面上的番薯粉，貨源多半來自南投竹山或台南西港一帶，分「細末狀」及「顆粒狀」，然一般商行及超市不易購得，必須是專供餐飲材料的雜貨粉料行才有販賣。本書為與進口地瓜粉有所區隔，故以番薯粉稱之，如做「黑糖粉粿」、「潮州肉圓」的就是。

●太白粉

這是家常料理經常用來勾芡的粉料。它與進口地瓜粉一樣來自泰國，原料亦為樹薯澱粉，不同的是磨製成細末狀，勾芡的口感與地瓜粉一樣，雖較為滑爽，但容易還水。阿芳建議，亦可用地瓜粉取代。

●日本太白粉

並非來自日本，而是來自荷蘭。也許是其品質較一般太白粉為佳，日本人料理又偏愛這種原料為馬鈴薯的澱粉，所以稱為日本太白粉。

Powder

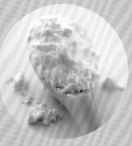

Powder

港式羹湯，口感濃滑，就是日本太白粉所糊化的效果。其特性是呈透明狀，甚至有水晶亮度，且Q緊不易還水。所以，製作米食時，可將之加進其他粉料中，修飾其他粉料不夠Q、緊的缺點，如本書中的「涼沙圓」、「香蕉飴」、「客家三角丸」就是。專業上，又稱它為「修飾澱粉」。

●玉米粉

它是玉米磨製成的澱粉，多半進口自美國。因其口感極為嫩滑綿細，所以又稱「珍珠粉」；又因其糊化後，會呈現濃稠、沒彈性、無組織的布丁餡狀態，所以多半用作炸粉，或製作奶油餡時用以勾芡，如本書的「土豆仁豆花」、「脆皮鮮奶」、「新竹燒芋泥」等。

●樹薯粉

樹薯，國內只有少量栽培，其不能生吃，只能煮熟或乾製成澱粉。它與進口地瓜粉、太白粉一樣，製成的食品口感略帶水感，不夠緊實，但是若放在冰點製作中，因冷度作用關係，就不會很硬，如冰料中的「芋圓」，就可以用樹薯粉、進口地瓜粉、太白粉來製作。

其實以上三種粉類，成分都是樹薯澱粉，只是磨製顆粒狀態不同。本書中的「台南芋粿」、「逢甲地瓜球」就是用進口地瓜粉取代專業的樹薯粉。

●在來米粉

它是在來米（籼米）用水磨乾製的澱粉，又稱「硬米粉」，質地乾鬆，若與玉米粉混合使用，可當做食材的油炸乾粉，如日式料理中的脆皮豆腐，就不會在沾漿或淋汁後，呈現黏滑現象。在小吃上，在來米粉多半做為硬日式的糕粿，如本書的「甲仙芋粿」、「米苔目」等。

Powder

Powder

糯米粉

為糯米水磨乾製的澱粉，料理後的口感又黏又Q，所以除了製作米食，在營業小吃的勾芡澱粉中，添加少量糯米粉可增加黏性，也較不易還水。

本書中，糯米粉除了運用在醬料的糊化，如「辣味海山醬」，也用來製作糕點如「雙糕潤」、「牛浣水」等。

蓬萊米粉

蓬萊米就是我們日常所吃的白米，口感軟Q但又不像糯米那麼黏Q。因為其特性介於糯米粉及在來米粉中間，所以較不易購得，不過仍有廠商生產。

讀者若無法購得，可用在來米粉與糯米粉，以3：2比例對合，即可取代蓬萊米粉，本書如「客家朴粿」就是，而《阿芳的小吃》中的「鹹粿」，也以蓬萊米粉製作的最好吃。

麵粉

有「高筋」、「中筋」、「低筋」三種，差別只在蛋白質含量高低不同。

高筋麵粉——蛋白質含量高，有彈性，夠紮實，適合用在較有組織、口感的麵食，如麵包、山東饅頭，或本書介紹的蔥燒餅、胡椒餅等。

中筋麵粉——多用在廚房料理，或一些口感較適中的麵點如餡餅、口袋餅、甜甜圈等。

低筋麵粉——因為筋性較低，所以口感較綿細，多用在西式點心上，如本書中的「雞蛋糕」、「可麗餅」等。

澄粉

是高筋麵粉揉糰泡水後所溶出無筋的澱粉水，再經過澄清乾製成的澱粉，又稱「浮粉」。它因為沒有筋性，所以燙熟後，雖有組織彈性，卻沒有Q勁拉力，所以多半用在製作如水晶餃、港式蝦餃等點心的外皮，本書則運用在「空心芝麻球」上。

Powder

Powder

● 卡士達粉
（ Custer powder）

又稱「蛋黃粉」、「起士粉」。它是一種經過加工的玉米澱粉，因添加有色素、香料，所以加水後會產生蛋黃的顏色，西點或港式點心上使用極多，可減低蛋黃用量，如蛋塔、奶油餡；或使用在油炸粉中，不僅有玉米粉乾爽的特性，又有蛋黃金黃色效果。

● 泡打粉、小蘇打粉、乾酵母粉

這是三種不同的膨大劑。

「泡打粉」、「小蘇打粉」為化學性的快速發泡粉，前者為酸性，後者為鹼性，遇到熱及水時，會產生大量二氧化碳，產生綿細膨大的效果。這二種膨大劑，分別視料理配方的酸鹼性不同來使用，有時也會兩者合用，如「雞蛋糕」、「客家朴粿」。

「乾酵母粉」則是一種需要時間培養增長的菌母，所以它所產生的膨鬆效果，較有口感，如「包子」、「甜甜圈」等。

● 三合粉

利用以上不同的粉類，視料理成品所需狀態，以不同比例調製而成。即使只使用兩種，一般也稱「合粉」或「三合粉」。主要應用在「炸雞」、「卜雞」……等。

Powder

Powder

Skill

入門小關卡 升級大提示

小吃料理，要做得好吃，有一些基本技法，關乎成敗。
它說難不難，做不對了就必定失敗。懂了技法，學會技法，
就像擁有一把闖關的神鑰，小吃天地，天南地北任你遊。

Skill

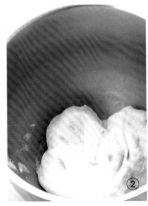

< 麵糰發酵法

運用：甜甜圈、雙胞胎、包子、饅頭

■ 材料

A.中筋麵粉3杯　蛋1個　乾酵母粉1.5小匙
　糖2大匙　鹽1/4小匙　水約3/4杯
B.油2大匙　高密度塑膠袋1只

■ 作法

1.材料A放入盆中，揉成粗麵糰（圖①）。

2.添入油脂，揉成三光（盆光、手光、麵糰光）的麵糰（圖②）。

3.若盆口覆蓋保鮮膜，置於溫暖處發酵至2倍大，則為「常溫發酵法」（圖③）。

4.若將揉至三光的麵糰，放入高密度塑膠袋中，收至無空間並紮緊袋口（圖④），放入冰箱冷藏約5～6小時。

5.當麵糰將袋子撐漲撐緊像汽球時（圖⑤），即為「低溫發酵法」完成。

{ 阿 芳 的 經 驗 分 享 }
夏天時，當然是「常溫發酵」較快，但相對的，也容易發酵過頭而有酵酸味。「低溫發酵」就沒有氣候、濕度的限制，製作品質較穩定，它是阿芳所喜歡且又妥當的麵糰發酵法。

Skill

< 燙 麵 法

運用：豬肉餡餅、牛肉餡餅、鍋貼、燒餅

◾ 材料

中筋麵粉3杯　滾水1/2杯　冷水約1杯
糖1大匙　鹽1/2大匙　油1大匙

◾ 作法

1. 麵粉放在盆中，淋入滾水，以筷子撥勻（圖①）。

2. 添加冷水、糖、鹽，揉成糰。

3. 再加油揉至三光（盆光、手光、麵糰光）（圖②），放置覆蓋20分鐘，鬆弛即成（圖③）。

< 冷 水 麵 法

運用：蒸餃、水餃

◾ 材料

高筋麵粉1.5杯　冷水約1/2杯　沙拉油1/2小匙

◾ 作法

1. 水分2～3次加入麵粉中（圖①），以筷子撥勻。

2. 用手揉成糰。

3. 加入沙拉油揉至三光（盆光、手光、麵糰光）（圖②），加蓋靜置，鬆弛20分鐘即成（圖③）。

{ 阿 芳 的 經 驗 分 享 }
若想要口感更綿細些，如製作可麗餅、小籠湯包等，可在粉類中添加適量的泡打粉。

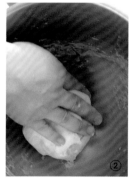

＜麵皮層次擀法

A.收圓法

運用：胡椒餅

示範做法

1.取發酵好的麵糰（圖①）。

2.切割成等份（圖②）。

3.麵糰塊沾上手粉（高筋麵粉）按平（圖③）。

4.再往中心收圓（圖④）。

5.收口向下（圖⑤）。

6.擀成片狀即可（圖⑥）。

＜麵皮層次擀法

B.三折法

運用：蔥燒餅

示範做法

1.取發酵好的麵糰，切割成成品所需2倍量的小糰塊（圖①）。（如1份配方才做12個，就切成6份。）

2.將麵糰塊滾上手粉（高筋麵粉），擀成長片狀（圖②）。

3.在麵皮中央放上油料，左右兩方向內折合（圖③）。

4.拍上手粉，將麵片轉成縱向，再擀成長片狀（圖④），再一次放上油料，前後折合後再擀成方片狀。斜角切開，即可做出油料夾層的層次狀。

粉麵小吃

小吃的天地裡，少不了用各類粉料做成的點心，

不論是在地的粉粿、芋粿；

還是屬舶來品的甜甜圈、三明治，都是老少皆愛的Street Food。

了解了各種粉料的特質與異同，熟悉了製作麵點的基礎技法，

不論何時，您都會是最受歡迎小吃高手！

Snack

$ DIY預算：100元

料理時間：1小時

示範份量：14—16個

食用時段：點心

{竹山番薯包}

- **材料**
- A. 紅心地瓜2條（約500g）　絞肉4兩　香菇丁1/2杯
     熟筍丁1.5杯　油蔥酥3大匙　沙拉油適量
     鋁箔杯模14～16個
- **調味料**
- A. 醬油膏3大匙　糖1大匙　白胡椒粉1小匙
     玉米粉水3大匙（粉水比例1：1）
- B. 二砂糖4大匙　地瓜粉1.5杯　糯米粉1杯

- **作法**

1　鍋燒熱，加油少許，放入絞肉及香菇丁爆香、炒散，再下筍丁略炒，加入調味料A炒香，熄火前拌入油蔥酥，放涼即為「內餡」。

2　地瓜去皮，切大塊，蒸熟，趁熱壓成泥，拌入調味料B，再加適量的冷水揉成米糰。

3　取1/8米糰壓成片狀，入沸水中煮熟（圖①），再放入原米糰中，添油揉勻，即為「外皮」。

4　外皮等分成14～16份，包入餡料揉成球狀、壓紋（圖②），滾上一層油，放在鋁箔杯模上，入蒸籠以中火蒸25分鐘即成。

{ 阿 芳 的 小 吃 經 }

竹山的地瓜最有名。阿芳使用的番薯粉，就是來自竹山地瓜所製。

竹山的地瓜包，是用地瓜加番薯粉做成的。在這道食譜裡，阿芳怕有些讀者買不到真正的番薯粉，所以用一般進口地瓜粉代替。如果您買得到番薯粉，當然就用番薯粉做，口感會更Q更好吃。

過端午節時，阿芳也會做地瓜包應景，不同的是，包好的地瓜包滾上油直接用粽葉包成粽子狀，蒸好後就是高纖的黃金粿粽了。

{ 潮州肉圓 }

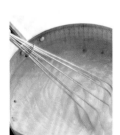

● **材料**

腿肉丁1.5斤　在來米粉2杯　水6杯　番薯粉4杯
豬骨高湯1鍋
柴魚片1小包　芹菜末適量

● **調味料**

● A.醬油6大匙　糖2小匙　蒜泥1小匙
　　五香粉1/2小匙　胡椒粉1/2小匙　地瓜粉1大匙

● B.醬油4大匙　糖3大題　高湯（水）2杯
　　在來米粉3大匙或以辣味海山醬（本書第16頁）取代

● C.味噌3大匙　醬油2大匙　香油1大匙
　　蒜泥、冷開水隨意

● **作法**

1　先做肉餡——腿肉丁加調味料A醃1小時以上。

2　在來米粉加水調成粉水，小火煮成糊狀放涼（圖
　①），拌入番薯粉（圖②），即為「外皮粉漿」。

3　取冰淇淋勺，先抹上一層粉漿，填上一球肉餡，再蓋
　上一層粉漿，扣在鋪著濕布的蒸籠裡（圖③）。一個
　一個依此法做好，蒸15分鐘。

4　豬骨高湯煮開，加入柴魚片熄火，略蓋燜5分後過濾
　雜質，加少許鹽調味，亦可加芹菜末提味，即為「清
　湯」。

5　調味料B調勻，煮開，即為成「米醬」。調味料C調成
　「味噌醬油」。食用時取肉圓盛盤，淋上米醬，加點味
　噌醬油，搭配清湯食用。

{ 阿 芳 的 小 吃 經 }

吃到這種肉圓，很多人都要問會不會賠錢啊？肉餡真的很足呢！潮州肉圓的外皮，沒有
彰化肉圓皮厚，又比台南蝦仁肉圓皮來得Q，口感恰到好處。

利用冰淇淋勺來做，可以避免用手扣肉圓的功夫不夠好。阿芳建議您，肉圓現蒸最好
吃，所以吃多少蒸多少，若覺得這裡示範的份量太多，可將配方減半，做一半就好。

$ DIY預算：100元

⚡ 料理時間：30分鐘

🍵 示範份量：10人份

🕐 食用時段：點心

{台南芋粿}

● **材料**

絞肉3兩　　油蔥酥3大匙　　芋頭1個（約2斤）　　地瓜粉1.5杯　　玻璃紙1張　　韭菜花末少許

● **調味料**

● A.醬油3大匙

● B.醬油2大匙　　糖3大匙　　五香粉1/2小匙
　　白胡椒粉2小匙　　鹽1/2小匙

● **作法**

1　絞肉炒散（圖①），加入調味料A醬油爆香，熄火前加入油蔥酥拌勻，即為「肉燥料」。

2　芋頭去皮刨粗條絲，放入炒鍋中，不開火，先與調味料B拌勻（圖②），再加入地瓜粉拌勻（圖③），再加入3大匙水略拌。

3　取蒸鍋模型，鋪上玻璃紙，「堆」上芋頭絲，上層撒上肉燥料（圖④），移入蒸鍋蒸25分鐘。取出後，趁熱撒上韭菜花末，微涼後再分切。

{ 阿 芳 的 小 吃 經 }

很多人說「取台南的女兒，嫁妝一牛車」，意思是台南人不僅富有也很捨得給嫁妝，台南女兒阿芳平常把它當笑話聽聽。

這種慷慨的特質，倒是在台南芋粿上展露無遺。它可是滿滿的芋頭所堆出來的芋粿，光是蒸的時候那種肉燥加上芋頭的香味，就要讓人直說讚呢！

在阿芳的教學課程中，每個學生都說這種芋粿好吃又好做。阿芳提醒您，若要成功不失敗，要注意作法2裡的調味拌勻，尤其加粉拌勻要先，加少量水略拌在後，步驟弄亂了，蒸熟的芋粿，粉層會在下，芋絲在上，就無法成型了。

速配小吃：魚丸湯

$ DIY預算：80元

料理時間：1小時

示範份量：10人份

食用時段：正餐、點心

{ 甲仙芋粿 }

- **材料**
- A.芋頭1個（約1.5公斤）　油蔥酥4大匙
　玻璃紙1張
- B.白飯2杯　在來米粉2杯　地瓜粉1杯　水4.5杯
- **調味料**
　鹽1小匙　糖2大匙　五香粉1/8小匙
　白胡椒粉1/2小匙

- **作法**

1 芋頭切成小拇指粗的條狀。油蔥酥切成細末。

2 材料B分次入果汁機打成米漿（圖①）。

3 炒鍋熱少許油，倒入米漿炒至5分熟（圖②），倒入芋條（圖③）及蔥酥再炒至7分熟熄火。

4 裝入鋪上玻璃紙的模型中，入蒸鍋蒸25～30分鐘至全熟（圖④），放涼方可切塊。

{ 阿芳的小吃經 }

去過高雄甲仙遊玩的人，很少人不被當地的芋頭小吃打敗吧，一整條街上不是賣芋仔冰，就是賣芋粿、芋頭酥或炸芋頭片。對於酷愛芋頭的阿芳，這滿街都是芋小吃的盛況，實在是太棒了。

芋仔冰，阿芳喜歡的是不加香精、顏色淡淡、入口香濃綿密的原味芋冰；至於芋粿，就要像這裡示範的，芋頭又粗又有料。這種吃得到芋頭口感的芋粿，大概除了在芋頭故鄉甲仙外，就只有「自己生產」了。

{阿芳的小吃經} 台灣本產山藥又肥又大，品質極佳且價格便宜。除了料理，紅山藥也是製作點心很好的食材，但要注意選用的部位以不接近莖頭的一端最好。至於山藥的保存，很多人喜歡放冰箱，其實這樣反而容易爛。只要在切口蓋上乾麵粉，放在通風陰涼處，就可以長時間保存。

山藥容易氧化變色，如果怕變色，可以把糖先放在磨泥盒裡，這樣磨下的山藥泥，會馬上和糖結合，就不會變色了。

此外，磨泥的器具了可以買現成品，也可以像阿芳一樣使用回收鐵餅盒，利用鐵釘打洞就可以了。

自製磨泥器

｛山藥煎｝

● 材料

紅山藥1段（連皮約400g）
細砂糖6大匙　地瓜粉3/4杯

● 作法

1　山藥去皮（約剩300g），以磨泥器磨成山藥泥（圖①），盡快加入細砂糖及地瓜粉拌成糊。

2　平底鍋均勻塗抹入油以冰淇淋勺取適量扣入平底鍋（圖②），以中小火煎至定型，翻面以鍋鏟按成扁平狀，煎至微鼓漲即成。

Tips

{阿芳的小吃經} 這種帶皮煮的地瓜糖,是媽媽在阿芳小時候,尤其是冬天裡經常烹煮的點心。天寒地凍,地瓜糖滿室生香,吃著吃著就有著幸福的感覺。沒想到阿芳的先生到了台南後,也喜歡上這地瓜糖點心,尤其水仙宮市場那位推攤車的老阿伯賣的地瓜糖,更是每見必買。不過,也許是年事已大,這幾年老阿伯已經不出現了。

現在,每到冬天,先生總忍不住請老婆下廚煮番薯糖。但因先生有胃酸毛病,因此阿芳加了陳皮去煮,有平衡作用,也多了一股香氣,再配上一壺綠茶,真的就叫幸福喔!

{ 番薯糖 }

● **材料**

黃心番薯8～10條　二砂糖1/2杯
麥芽糖1/2杯　水約2杯
廣陳皮2片　花生粉適量

● **作法**

1　番薯洗淨不削皮切大圈塊(若小地瓜則不切),先加水、陳皮,煮至可用筷子穿透(圖①)。

2　加入二砂糖(圖②)、麥芽糖一起入鍋,煮至糖汁呈稠亮狀。

3　食用時,取適量番薯糖,撒上花生粉即可。

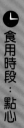

｛甜甜圈｝

● **材料**

● A.中筋麵粉3杯　蛋1個　乾酵母粉1.5小匙
　　糖2大匙　鹽1/4小匙　溫水約3/4杯　奶油2大匙

● B.細砂糖1杯　手粉（高筋麵粉）適量

● **作法**

1　材料A（除奶油外）揉成糰，再加入奶油，揉至光滑狀放入盆中，覆上保鮮膜，置於溫暖處發酵至2倍大（約1.5小時）。亦可在麵糰揉光滑後，放入塑膠袋中綁緊，放入冷藏室低溫發酵一夜。

2　桌板撒上手粉（圖①），擀成約1.5公分厚的片狀（圖②），以甜甜圈模壓出圈狀（圖③），或切長塊，再切捏編成辮子狀。甜甜圈排在撒上手粉的盤上，以噴水器噴濕，再靜置二次發酵至漲大。

3　二次發酵好的麵體，入溫油鍋中小火炸至兩面金黃，取出沾上細砂糖即成（圖④）。

｛阿芳的小吃經｝

甜甜圈，可是阿芳寶貝女兒冬天放學後喜歡的點心，做媽媽的我認為，可能是沾在外層的糖太有吸引力吧！至於愛喝咖啡的先生，喜歡在糖裡加點肉桂粉，他說肉桂味的甜甜圈，是濃縮咖啡的最佳拍檔。

速配小吃：豆漿

Q.為什麼扣出甜甜圈的碎麵糰，再揉合所做出的甜甜圈，膨漲效果不好呢？

A.因為麵糰再揉合，會產生筋性，若不經鬆弛就直接？，麵糰伸展不開，膨脹效果當然不好，甚至會產生死麵現象。這就是麵糰揉過後一定要放置鬆弛，才能再擀的道理。

{營養三明治}

● **材料**

● A.中筋麵粉3杯　蛋1個　糖2大匙　鹽1/4小匙
　　乾酵母粉1.5小匙　溫水約3/4杯　奶油2大匙

● B.麵包粉1杯　水、手粉（高筋麵粉）各適量

● c.滷蛋6個　火腿12片　小黃瓜片、番茄、
　　沙拉醬、黃芥末醬各適量

● **作法**

1　材料A（除奶油外）揉成糰，再加奶油揉至光滑，放入盆中蓋上保鮮膜，置於溫暖處發酵至2倍大（約1.5小時）。亦可在麵糰揉光滑後，放入塑膠袋中綁緊，放入冷藏室低溫發酵一夜。

2　發酵麵糰分割成12等份，滾圓再揉成長條（圖①），表面沾上少許水，滾沾一層麵包粉（圖②），放置於撒上手粉的板上，用噴水器噴濕，二次發酵至麵糰發漲（圖③）。

3　滷蛋一切為四。番茄切片。沙拉醬加入黃芥末醬調勻備用。

4　麵糰入溫油鍋炸至金黃色澤（圖④），改大火，升高油溫後，取出，瀝油，剖開後抹上芥末沙拉醬，夾上所有配料即可。

{ 阿 芳 的 小 吃 經 }

這是甜甜圈麵糰的升級版，因餡料豐富，所以在基隆大發利市，每到假日必大排長龍。
其實，除了這種變化，也可包入炒好的酸菜餡，或放涼的濃咖哩餡，做出不同口味。

Q.炸好的麵包，為何會膨發程度不夠好，不夠鬆軟呢？

A.油溫，是炸麵包膨發程度的最後關鍵。如果麵糰發酵良好，二次發酵也夠，油溫得先
　控制在中高油溫狀態（約攝氏170度），再改中小火加熱，麵包才不會因油溫過高，火
　力太強，下鍋後外層立刻定型，無法膨漲。但是，若油溫不夠高，火力又小，那沾在
　外層的麵包粉就會脫落，麵包本身就會產生吸油不漲的現象。

$ DIY預算：70元

料理時間：30分鐘

示範份量：7—8份

食用時段：點心

{ 可麗餅 }

● **材料**

● A.蛋1個　水1杯　細砂糖2大匙　鹽1/4小匙
　　低筋麵粉1杯　泡打粉1小匙　融化奶油3大匙
　　香草精1/4小匙

● B.起司片、罐頭玉米粒、生菜葉、火腿片、
　　沙拉醬各適量

● **作法**

1　材料A的蛋及水、細砂糖、鹽調勻；低筋麵粉與泡打
　　粉過篩，加入調勻，再加入融化奶油及香草精調勻
　　（圖①），放置10分鐘，即為「餅漿」。

2　取適量餅漿，在加熱的不沾平底鍋中繞圓（圖②），
　　在餅皮上半層放上起司片、玉米粒（圖③），以小火
　　煎烤3～4分鐘，再將餅皮從中折起蓋合（圖④），加
　　上生菜葉、火腿片、沙拉醬等料，最後折成三角錐
　　狀（圖⑤），放入套上塑膠袋的錐狀紙筒中即成（圖
　　⑥）。

{ 阿 芳 的 小 吃 經 }

可麗餅，是法國點心中的薄餅，多半是以軟餅盛在盤中，搭配軟質水果及鮮奶油，以刀
叉食用。

但是，可麗餅流傳到日本之後，餅漿裡就加了較高量的油脂，成了可以捲成甜筒狀的脆
餅，一樣也是夾捲入不同的水果及鮮奶油，但因為食用的方式更隨性自在，所以廣為流
行，現在連台灣夜市也流行賣可麗餅了。

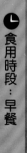

｛ 雞蛋糕 ｝

● **材料**

蛋4個　　細砂糖3/4杯　　低筋麵粉1.5杯
泡打粉1小匙　　牛奶1杯　　沙拉油3大匙
香草精1/2小匙　　奶油少許

● **作法**

1　蛋打至起泡，細砂糖分次加入，打至綿細乳白蛋
　　沫，提起蛋泡畫8字狀，若字體不會消失即可（圖
　　①）。

2　麵粉與泡打粉一起過篩入蛋沫中（圖②），略拌，加
　　入牛奶及沙拉油輕拌均勻。

3　鬆餅機預熱，塗上奶油，倒入麵糊至8分滿（圖
　　③），合上機器，待亮燈熄滅即熟。可以竹籤橫向刺
　　穿取出，即成（圖④）。

Tips

｛ 阿 芳 的 小 吃 經 ｝

每個人的童年都有雞蛋糕的回憶吧！巷弄間、校門口、車站邊，雞蛋糕攤子香味傳千
里，雞蛋、手槍、魚等造型，增添多少童年樂趣。

其實，雞蛋糕是日據時代流傳來的點心，它就是到東京淺草寺時可以吃到的人型燒。到
了現代版，阿芳利用很多家庭都有的鬆餅機來做雞蛋糕，它與煎鬆餅最大的差異是，除
了粉漿不同，鬆餅漿得等到起泡孔才能蓋機，雞蛋糕漿則是倒八分滿立刻蓋機，這樣才
能填飽模型，發得漂亮。取下烤好的雞蛋糕，竹籤需橫向插入蛋糕中，才能完整拉出蛋
糕，不會傷了可愛的造型。

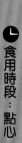

{ 脆皮炸鮮奶 }

● **材料**

A. 奶水1杯　水1又1/4杯
低筋麵粉2大匙　玉米粉2大匙　鹽1/4小匙

B. 奶油2大匙　香草精1/4小匙

C. 低筋麵粉1杯　蛋黃粉3大匙
泡打粉1.5小匙　水1杯
冷沙拉油2大匙

● **作法**

1　材料A先在小鍋中調勻，邊煮邊攪，加熱至沸騰呈濃糊狀熄火，趁熱將B料加入調勻（圖①），倒在淺盤中抹勻，以保鮮膜貼蓋放涼（圖②），入冰箱冷藏至冰涼，即成奶凍。

2　材料C調成「粉漿」。

3　取出奶凍切小塊（圖③），以竹籤串起，沾上粉漿，入熱油鍋，以中大火炸至金黃香酥即可。

{ 阿 芳 的 小 吃 經 }

這也是傳統小吃的改良版。同樣概念，在宜蘭有名的「糕渣」與湖南湘菜餐後甜點的「鍋炸」，也有異曲同工之妙。這道炸鮮奶，來自香港的一種點心，奶味很足，喜歡濃郁風味的讀者，可用椰漿取代奶水，風味有所不同。

另外，冰涼成凍的奶凍，除了油炸，也可以加上剉冰、水果（見圖），以冰點呈現。但要注意，不能冷凍，否則會破壞玉米粉及麵粉糊化成布丁狀的特性，那就不好吃了。

速配小吃：珍珠奶茶

水果奶凍冰

奶水

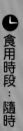

$ DIY預算：50元

料理時間：30分鐘

示範份量：24個

食用時段：隨時

｛芝麻球｝

● **材料**

● A.澄粉50g　糯米粉200g　細砂糖70g　滾水80cc
　　冷水適量（約3/4杯）

● B.小蘇打粉1/4小匙　氨粉1/8小匙　沙拉油1小匙

● C.豆沙120g　生白芝麻1/2杯

● **作法**

1　滾水沖入澄粉（圖①），燙成熟粉糰，加入糖、糯米粉及適量冷水揉成糰（圖②），再加入材料B揉勻成米糰，分成24等份。

2　豆沙分揉成24小球，以米糰包豆沙（圖③），外層滾上水，沾上一層生白芝麻，再以手揉實即為芝麻球。

3　油鍋加熱至溫油（約150℃），將瓦斯爐架兩個一起疊高，下芝麻球以極小火炸到芝麻球浮起，再以漏勺按壓，使芝麻球漲大（圖④）。油炸過程需不停攪動，炸至表層定型，再改大火升高油溫後離鍋。

Tips

｛ 阿 芳 的 小 吃 經 ｝

摸索學習各樣小吃，「空心芝麻球」對阿芳來說，可有一肚子苦水，花了許多精神與苦心總不得要領。許是老天暗中相助吧，8年前阿芳去四川旅行，在街上看到一位老伯，他拿著竹竿，上頭像插糖葫蘆般的芝麻球，1串3個1元人民幣。

阿芳問老伯，可否付他20元人民幣，親手做芝麻球給阿芳看？怎知，老伯臭屁了起來，連珠炮似地說怎麼難怎麼難。由於阿芳有過無數次失敗的經驗，聽著聽著阿芳便聽出問題出在哪裡了。回到台灣，阿芳放下行李，隨即入廚做芝麻球，果真一次就成功。

幾年來，阿芳不斷研究不同的配方，這次示範的，是阿芳覺得最容易拿捏、也最不容易失敗的方法，連油炸時以爐腳相疊來控制火侯，都是得來不易的心得。

如果您失敗過，請您把阿芳當作那位四川老伯，多試幾次，您也會是幸運的阿芳了。

$ DIY預算：30元

料理時間：1小時

示範份量：5─6份

食用時段：點心

{ 逢甲地瓜球 }

● **材料**
紅心地瓜2條（約1斤）　二砂糖4～5大匙
地瓜粉1杯　生芝麻2大匙

● **作法**

1　地瓜去皮，切大塊蒸熟，趁熱壓成泥（圖①）。

2　拌入二砂糖及地瓜粉、芝麻，揉成不沾手糰塊，搓成長條狀，再切成湯圓狀（圖②）。

3　生地瓜球入溫熱油鍋，以中火邊炸邊攪，待地瓜球浮起（圖③），即以漏勺按壓（圖④），炸至地瓜球鼓起，即可改大火升高油溫，再多炸1～2分鐘至金黃色，撈出瀝乾油即成。

{ 阿 芳 的 小 吃 經 }
阿芳的小女兒，從小就對這玩意兒特別有興趣，在夜市不小心給看到，非得央求媽媽我買上一包打牙祭不行。拍攝這本食譜那天，阿芳發現工作人員個個也都愛這玩意兒，一下子就吃光光。
做母親的總怕女兒吃多了這地瓜球身子太燥，所以總會煮點青草茶或仙草茶，讓孩子搭配著吃，才不會上火！

$ DIY預算：150元

料理時間：1天

示範份量：10個

食用時段：點心

{ 布袋蚵仔包 }

● **材料**

● A.中筋麵粉2杯　滾水1/2杯　冷水約1/2杯
　　香油1大匙

● B.絞肉6兩　韭菜1把（約4兩）　鮮蚵1/2斤
　　蛋10個

● C.手粉（高筋麵粉）少許　甜辣醬適量

● **調味料**

　醬油3大匙　蒜泥1小匙　糖2小匙　五香粉1/4小匙
　白胡椒粉1/2小匙

● **作法**

1 取材料A，以滾水沖入麵粉中燙麵後，加入冷水揉成麵糰，再加入香油揉勻，放置20分鐘使其鬆弛。

2 材料B的絞肉以調味料拌勻，加入切段的韭菜拌勻。

3 麵糰分成10小塊，沾上手粉，擀成餅皮（圖①），鋪在茶杯裡（圖②），放上鮮蚵、肉餡，打上一個生蛋（圖③），收口拉合捏牢，入熱油鍋以中火炸約5分鐘至金黃色（圖④），改大火升高油溫後取出瀝乾，搭配甜辣醬食用。

{ 阿 芳 的 小 吃 經 }
這是近幾年以產蚵聞名的布袋港流傳而來的小吃，用料及口味有些兒像古早味的蚵爹。
由於是用容易取得的杯子當容器，所以作法簡單多了。不過，因蚵仔包內餡很多，個頭又大，炸油也稍多些，所以平底小湯鍋比寬面炒鍋更方便油炸；而油溫，應以中高溫但用小文火慢炸至熟，再改大火升高油溫逼油後，這樣才不會夾生又吸油。

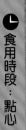

$\$$ DIY預算： 30元

料理時間： 1.5小時

示範份量： 12片

食用時段：點心

{ 蔥燒餅 }

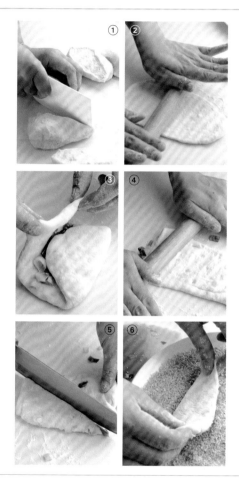

● **材料**
● A.高筋麵粉3杯　二砂糖2大匙　乾酵母粉1.5小匙
　　冷水1又1/4杯　沙拉油2小匙
● B.青蔥末1把（半斤）　焦糖蜜3大匙（見本書第21頁）
　　水3大匙　中筋麵粉1/2杯　生白芝麻1/2杯
● **調味料**
　鹽1/2小匙　白胡椒粉1/4小匙　香油1大匙

● **作法**

1　材料A（除沙拉油外）全部揉成糰後，再加沙拉油揉
　　成光滑糰狀，外表抹少許油，放入高密度塑膠袋中
　　包緊，入冷藏室低溫發酵一夜。

2　青蔥末以調味料拌勻略放，即為「鹹蔥」；焦糖蜜
　　加水調稀。

3　發酵好的麵糰分為6等份（圖①），滾上中筋麵粉，擀成
　　長方型片狀（圖②），在中央鋪上鹹蔥，一端往內折
　　1/3，另一端再往內蓋合（圖③），拍上一些中筋麵
　　粉，再擀平（圖④）。中央再鋪上鹹蔥對折，拍粉，
　　再擀平即可斜角對切（圖⑤），表面一層沾上糖蜜
　　水，沾上芝麻（圖⑥）。芝麻面向下，排入烤盤。

4　送入預熱230℃的烤箱中，烤20分鐘即可。

{ 阿 芳 的 小 吃 經 }
常常有人說阿芳的家人很幸福，因為每天都有好吃的東西吃。其實，也許是平常看阿芳
做太多食物的關係吧，家人反而喜歡吃簡單的食物，這道蔥燒餅就是先生喜愛的麵點，
為什麼呢？先生說，它外型很粗獷，口味很簡單，讓人一口接一口停不下來。這就是真
正的美味吧，簡單而直接的美味。

速配小吃：碳燒味豆漿（見本書第156頁）

$ DIY預算：170元

料理時間：1.5小時

示範份量：15個

食用時段：點心

｛ 胡椒餅 ｝

● **材料**

● A.去皮後腿肉1斤　蛋1個　肥絞油4兩　青蔥花2杯
　　生白芝麻1/2杯　糖蜜2大匙　水2大匙

● B.燒餅麵糰1份（作法請見本書第80頁）　中筋麵粉1杯

● **調味料**

　醬油8大匙　糖1大匙　五香粉1/2小匙
　蒜泥1/2小匙　黑胡椒粒1大匙

● **作法**

1　腿肉切丁，加入蛋及調味料，攪至黏稠有彈性，拌入肥絞油，
　　入冰箱冷藏1小時；糖蜜加水調勻備用。

2　麵糰分為15等份，沾滾上中筋麵粉，往中收入成圓麵糰，再沾
　　上麵粉，擀成厚圓片，包入約2大匙量的肉餡，收口捏成半合，
　　再塞入大量已吊乾的蔥花並包合（圖①）。底部沾上糖蜜水，沾
　　上芝麻（圖②），擺在烤盤上。

3　全部做好後，移入已預熱至250℃的烤箱中，烤25分鐘即可。

｛ 阿 芳 的 小 吃 經 ｝

Tips

街邊常有賣胡椒餅的店家，招牌上總寫著福州胡椒餅的字樣。妙的
是，阿芳在福州學習果雕一年，找遍全福州，就只有繼光餅，根本
沒有胡椒餅的影子。後來，阿芳漸漸發現，胡椒的福州話發音，很
像「福州」的發音，可能是同音吧，說著說著就名正言順。

速配小吃：杏仁茶（見本書第151頁）

Q.胡椒餅沒有土窯炕，應該沒有炭燒的香味吧？

A.我利用焦糖漿來沾黏芝麻，當胡椒餅入烤箱烘烤上色後，就會散
　發如炭燒般的香氣，這是阿芳的私房小技巧。

Q.為什麼蔥要先「吊乾」呢？

A.將鮮蔥的蔥頭、蔥尾切開，洗淨吊乾的方式，在小吃中很常用。
　因為蔥的香味是在快速遇熱後最香，沒有經過吊乾的蔥，蔥辣味太濃，無法在瞬間轉
　換出香氣。所以蔥切成蔥花生吃，或短時間快烹時，需先吊乾，才不會有過濃的生蔥
　臭辣味。一般滷菜上撒的蔥花、做餅使用的蔥花，都會如此處理。

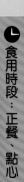

$ DIY預算：130元

料理時間：2.5小時

示範份量：約15個

食用時段：正餐、點心

{台南蛋黃香菇肉包}

● **材料**

A.中筋麵粉3杯　乾酵母粉1.5小匙　細砂糖2大匙
　水約1杯　沙拉油1大匙

B.五花絞肉1斤　油蔥酥3大匙　香菇15朵
　鹹蛋黃5粒　手粉（高筋麵粉）適量

● **調味料**

醬油5大匙　糖1大匙　白胡椒粉1/4小匙

● **作法**

1　材料A（除沙拉油外）揉成糰後，加入沙拉油續揉至光滑，放置盒中發酵至2倍大（見本書第79頁）。

2　香菇泡軟切塊，爆香盛起；取1/3絞肉入鍋炒散，加入調味料炒香，熄火前拌入油蔥酥，取出，加入其餘2/3的絞肉，攪拌至黏稠狀，即為「內餡」（圖①）。鹹蛋黃每個等切成3份。

3　將麵糰擠出空氣，分成15等份，以收圓法（見本書81頁）收圓按扁，麵皮再擀成外薄中厚（圖②），放上內餡，擺上蛋黃及香菇，包成鳥籠包子狀（圖③），底部放上防沾紙（或在蒸籠裡鋪上濕布巾），用噴水器噴濕（圖④）放置20分鐘讓其二次發酵，即移入蒸鍋，以旺火蒸20分鐘，熄火，燜5分鐘再開蓋（圖⑤），趁熱撕去防沾紙，放在架上通風放涼。

{ 阿 芳 的 小 吃 經 }

做包子並不難。第一關卡是揉麵發酵，再則是餡料很重要。江浙味餡料是肉打蔥薑水阿芳喜歡的是閩南的肉燥味。包好餡料後，二次發酵一定不能少。入鍋蒸熟熄火，千萬記得2～3分鐘後再掀蓋，才不會籠裡籠外溫差太大，包子變得皺巴巴。

自己手工做的包子，模樣不像機器包子那麼美，但是那種麵皮的Q勁、壓下會彈回的狀態，那是一壓扁就彈不回的機器包子所比得上！想吃好吃的包子嗎？阿芳的學生說，用這種肉包子打狗，一去不回喔！

速配小吃：熱甜豆漿

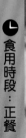

{ 蝦仁腸粉 }

● **材料**

A. 在來米粉1杯　玉米粉1大匙　太白粉1大匙
　　沙拉油1大匙　鹽1/2小匙　水約2杯

B. 蝦仁4兩　雞粉1/2小匙　太白粉1小匙

● **調味料**

醬油3大匙　冰糖2大匙　水2/3杯　香油1大匙

● **作法**

1. 材料A的玉米粉與太白粉先以沙拉油調勻，略放10分鐘，再加入在來米粉及水、鹽，調成稀粉漿。

2. 材料B的蝦仁洗淨，瀝乾水分，加入其餘B料調勻成餡。

3. 醬料入鍋煮開，即為「甜醬油」。

4. 不鏽鋼盤入蒸鍋蒸熱（圖①），塗上一層油，取1/3杯粉漿調勻淋上一層薄粉漿（圖②），排上一排蝦仁餡（圖③），蓋鍋蒸2分鐘，取出以刮刀將粉皮捲成腸狀（圖④），切成段狀排盤，淋上甜醬油即可。

{ 阿 芳 的 小 吃 經 }

如果您覺得自己打粉漿太麻煩，也可用大片的粄條切半包蝦餡，只是後者的口感厚了點。再不然，到台北縣中和市華新街（那兒住了很多泰緬僑民，所以人稱泰緬街），街上有兩家茶樓，是原籍廣東的僑民喝茶的所在，在那兒可以看到真正的腸粉拉法，還可以吃到美味的點心，還免茶資喔。這裡的老闆很親切，是阿芳不煮飯時常常光顧的店家。您可坐捷運到景新站4號出口，走點路就到了。

您還可以試試廣東人早餐習慣吃的、中間捲上油條的「炸兩腸粉」，很不錯喔！

：廣東粥

$ DIY預算：100元

料理時間：1小時

示範份量：3—4份

食用時段：正餐、點心

{ 蝦仁蒸餃 }

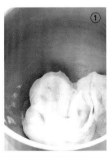

● **材料**
● A.高筋麵粉1.5杯　　水約1/2杯　　沙拉油1/2小匙
　　手粉（高筋麵粉）適量
● B.草蝦仁（小）4兩　　青蔥花1杯
● C.絞肉1/2斤　　薑泥1/2大匙　　冰水1/4杯
● **調味料**
● A.鹽1/4小匙　　香油2小匙　　白胡椒粉1/4小匙
● B.醬油、香油、白醋適量

● **作法**

1　將材料A的水加入麵粉中，以筷子撥勻，再以手揉成糰，添入沙拉油揉至三光（盆光、麵光、手光）（圖①），加蓋靜置，鬆弛30分鐘（圖②）。

2　將冰水慢慢攪入絞肉中，加入薑泥及調味料A，攪成黏稠狀後，入冷凍庫冰至8分硬。蝦仁洗淨瀝乾，冷藏以吸乾水分。

3　麵糰從中開一洞，拉成輪胎狀（圖③），再慢拉成細圈狀，截斷後即成長條狀，約可切成35粒。沾上手粉按扁（圖④），再擀成片狀。

4　取麵皮，包入內餡及蝦仁、蔥花（圖⑤），包成餃子狀（圖⑥），放在鋪上濕布巾的蒸籠上，大火蒸10分鐘，搭配調味料B沾食。

{ 阿 芳 的 小 吃 經 }
好的蝦仁餃子，如果不想用蒸的，用水煮就是水餃了。因此，這裡的麵皮，可用現成的餃子皮替代。

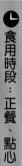

{ 小籠湯包 }

● **材料**

● A.絞肉半斤　豬皮凍6大匙（見本書第14頁）
　 蔥薑水3大匙

● B.中筋麵粉1杯　水1/2杯　泡打粉1/2小匙
　 手粉（高筋麵粉）適量

● C.嫩薑絲、紅醋各適量

● **作法**

1　絞肉加上調味料、蔥薑水攪至黏稠，再拌入豬皮
　 凍，放入冰箱冷藏使肉餡變硬。

2　材料B揉成光滑麵糰，蓋上濕布，放置20分鐘後，分
　 切成24小粒麵糰，按扁，沾上手粉，擀成麵皮。

3　取麵皮包入餡料，捏成鳥籠包子（圖①），排在鋪上
　 濕布巾的蒸籠上，大火蒸6分鐘。食用時，搭配泡過
　 水的嫩薑絲、紅醋（圖②）食用。

{ 阿 芳 的 小 吃 經 }

自己做的湯包，雖然不像外國明星訪台時指定的名店所料理的湯包那麼精緻，但是自家
選用的麵粉、肉餡用料都較新鮮，而且現包現蒸現吃，可以吃出麵點的好口味。它也是
周休二日時，很棒的親子美食。

Q.為什麼品嚐小籠湯包要沾紅醋，不沾醬油呢？

A.小籠包的肉餡，是以帶油的豬肉加上膠質的凍汁為主，而紅醋有解膩及回甜的效果，
　 醋味也不像白醋那麼刺鼻。若是沾醬油，則會因鹹味過重，蓋掉麵皮的香味及肉餡的
　 鮮味。

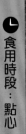

{ 蔥油蛋餅 }

● **材料**

● A.中筋麵粉3杯　乾酵母粉1.5小匙　二砂糖2大匙
　水約1杯　沙拉油2小匙

● B.青蔥1把（約5兩）　鹽1小匙　白胡椒粉1/4小匙
　花椒粉1/4小匙　香油3大匙

● C.香油4～5大匙　蛋10～12個
　醬油膏、辣椒醬適量

● **作法**

1　材料A（除沙拉油外）先揉成糰，再加入沙拉油揉至麵糰光滑滾圓（圖①），放在麵盒中，加蓋發酵至2倍大（或以塑膠袋包緊放入冷藏室低溫發酵一夜）。

2　青蔥切蔥花，加上其餘的材料B，揉至蔥花變軟成香蔥。

3　發酵完成的麵糰，拌入C料香油，使麵糰油滑，分成10～12個小球，按平，包入2大匙香蔥，收口捏緊（圖②），在桌板上抹油按平（圖③）。

4　入平底鍋，兩面煎黃。蛋打入鍋中，用鏟子搓破蛋黃（圖④），貼上一張煎餅，略煎即成。可搭配醬油膏、辣椒醬沾食。

{ 阿 芳 的 小 吃 經 }

這種油炸的蔥油餅，一般學校門口最常見，是發育中食量大的青少年最佳的裹腹點心。為什麼它會這麼好吃呢？道理在，它的餅皮經過發酵，再加上拌入香油拉出筋性的緣故。香油，除了能添香氣，透過油炸方式還會產生外酥脆、內軟嫩的口感，此時再貼上一個「炸蛋」，就更香脆可口了。當然囉，搭配紅紅的辣椒醬一起吃，雖然有點其貌不揚，卻是祭五臟廟的好點心。

{豬肉餡餅}

● **材料**

● A.中筋麵粉3杯　　滾水1/2杯　　冷水約1杯
　　　糖1大匙　　油1大匙

● B.細絞肉1斤　　蔥末1.5杯　　薑泥1大匙
　　　蔥薑水4～6大匙

● C.手粉（高筋麵粉）少許

● **調味料**

　　醬油4大匙　　鹽1/4小匙　　糖1大匙
　　白胡椒粉1/2小匙　　酒2～3大匙　　香油2大匙

蔥薑水

● **作法**

1　取材料A，將滾水淋在麵粉中略拌，再添冷水、糖揉
　成糰，再加油揉至三光（盆光、麵光、手光）（圖
　①），放置20分鐘鬆弛。

2　材料B加上調味料攪至黏稠，放入冰箱冷藏略冰。

3　桌板撒上手粉。取麵糰分成14小塊，按扁後擀成麵
　皮，包入肉餡，收口捏合。多出麵皮可捏掉（圖
　②），收口向下壓成扁平狀。

4　餡餅放入加油熱鍋的平底鍋，兩面先煎至金黃，再
　改小火將餅烙個7～8分鐘即可。

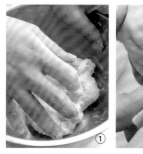

①　②

{ 阿 芳 的 小 吃 經 }

餡餅的特色是皮薄餡多，所以收口處多餘的麵皮，捏合後一定要捏除。清爽的綠豆小米
稀飯，則是搭配較油膩的餡餅的好搭檔。

速配小吃：綠豆小米稀飯（見本書第51頁）

Q.一次做好的餡餅，要怎麼處理？

A.如果是生餡餅，就搭上乾手粉（高筋麵粉）防沾，一一包裝，放入冷凍庫。食用時，
　不需解凍，拍掉乾粉就可入鍋以小文火慢煎，風味不會「走調」。若是煎熟的餡餅，就
　等放涼，包裝好冷凍，食用時，一樣不需解凍，用烤箱回烤，風味不打折。

$ DIY預算：50元

料理時間：20分鐘

示範份量：6人份

食用時段：早餐

{ 北京蛋捲餅 }

● **材料**

● A.低筋麵粉3/4杯　　蕎麥粉3/4杯　　水1.5杯

● B.甜麵醬4大匙　　香油3大匙

● C.蛋6個　　蔥花1杯　　油條3根

● **作法**

1　材料A的粉料混合，水分2～3次調入，再放置5分鐘，待其勻細。

2　材料B入鍋炒香備用。油條切成兩段。蛋打散，但蛋白、蛋黃要呈分散狀。

3　不沾平底鍋燒熱，以紙巾抹上薄薄油脂（圖①），倒上1/6的粉漿，攤成薄圓狀，再倒入1份散蛋抹在餅上，以文火煎。然後在餅上抹上一層甜麵醬（圖②），撒上蔥花，放上油條，捲成筒狀，切塊後盛盤即可。

{ 阿 芳 的 小 吃 經 }

蛋餅的種類，有阿芳介紹的這種屬於水麵的蛋餅，也有以燙麵擀成大圓薄片烙熱的蛋餅。食用時，回煎貼蛋的蛋餅，是不愛吃甜食的人很好的早點。

這一道蛋捲餅，是阿芳在北京胡同裡吃到的早點，除了蛋餅的特色，還加入油條捲餅的變化，份量很足。不過，一定要現煎現捲現吃，才能吃出味香且酥的口感。

{印度口袋餅}

① ② ③ ④

材料

- A. 中筋麵粉1.5杯　全麥麵粉1杯　細砂糖2大匙
  鹽1/2小匙　乾酵母粉1小匙　溫水約1杯
  沙拉油1小匙
- B. 手粉（高筋麵粉）適量
- C. 肉鬆、生菜、番茄、沙拉醬、蘋果片各適量

作法

1. 材料A（除沙拉油外）先揉成糰狀，再加入沙拉油揉至光滑，加蓋放置在溫暖處發酵至2倍大。或以塑膠袋包緊冷藏低溫發酵一夜亦可。

2. 將麵糰取出，分成7小塊（圖①），沾上手粉，按成扁圓狀，再擀成約0.5公分厚的大橢圓片狀（圖②），排於烤盤上。不需二次發酵。

3. 送入已預熱至170℃的烤箱中，烤約6～7分鐘，鼓起即可（圖③）。微涼後，對切即成口袋餅（圖④）。

4. 食用時，以喜好的材料C填入口袋餅中即可。

{ 阿 芳 的 小 吃 經 }
A-fan
Tips

口袋餅是印度家家戶戶都會做的餅，有時會在麵粉中添加玉米穀粉，風味也很香。
口袋餅來到寶島台灣，夾入更多的餡料蔬果，價格不菲，所以，只要學會發麵，讀者就可以自己烤印度口袋餅了。

速配小吃：熱奶茶

Q.為什麼口袋餅有時漲不起來？

A.如果麵糰發酵良好，問題就出在擀麵皮的過程了。麵糰分塊揉圓，不能一次就擀成大薄片，正確的作法是：每一糰先擀開，略鬆弛，再回頭擀第一片，如此麵糰才不會太緊擀不開，烤了也鼓不起。

甜點糖水冰

美食之後，如果再加點甜食句點，那就是一種「幸福」。
在Local的小吃中，就有著一些通俗且討喜的美味。
多用一點心，您的家人就能享有這種「幸福」。

Dessert

Tips

{阿芳的小吃經} 以前，KTV對忙碌的阿芳來說陌生得很，倒是一回與電視「食全食美」工作夥伴聚餐後，到了KTV同歡，讓結婚十年的阿芳開了眼界。鮮的是，阿芳翻遍歌本一首也不會唱，倒是色香味俱全的菜單很吸引人。原來，唱KTV也可以享受美食喔！

阿芳對KTV菜單裡的芋丸很有興趣，因為家鄉台南宴客菜中，就有這種芋丸，但包的是鹹鴨蛋黃，到了KTV，鹹鴨蛋黃卻換成了肉鬆，是年輕人喜愛的口味吧。這也是傳統小吃隨著時代的腳步改變，最好的例子之一。

{KTV芋丸}

- **DIY預算**：80元
- **料理時間**：40分鐘
- **示範份量**：30—35個
- **食用時段**：點心

● **材料**
A.芋頭1條（約1.5斤）
　日本太白粉1/2杯（手粉）
B.肉鬆1杯　沙拉醬2大匙

● **調味料**
二砂糖1/2杯　鹽1/2小匙
五香粉1/4小匙　白胡椒粉1/4小匙
日本太白粉1/2杯　沙拉油2大匙

● **作法**

1　芋頭切大塊蒸熟，趁熱壓成泥，加入調味料，拌成「芋泥」。

2　材料B拌成「肉鬆餡」（如圖①）。

　手沾太白粉，取芋泥包入少許肉鬆餡，揉圓，外層滾上少量太白粉。

3　油鍋熱油至高溫改小火，投入芋球炸到淡金黃色，改大火升高油溫後撈出瀝油即可。

①

A fun Tips

{阿芳的小吃經} 用芋頭做點心，不管是鹹是甜，香氣總是令人無法擋。像這道芋籤粿，在賣鹽酥雞的攤子上也吃得到。阿芳倒是偏愛不撒椒鹽的原味芋籤粿。

提醒大家的是，老一輩長者總說，香蕉和芋頭很兇，只壓人不給人壓，所以千萬不能空腹吃過頭。愛吃芋頭的阿芳就曾吃過苦頭，搞得急性腸胃炎，醫師告訴阿芳，芋頭是高澱粉質食物，若一次食用過多，腸胃無法負荷，更何況是空腹吃，會產生脹氣現象，千萬要小心。

速配小吃：鹽酥雞

{ 芋籤粿 }

● **材料**

A.在來米粉1/2杯　水2.5杯
　 細砂糖1/2杯　五香粉1/8小匙
B.芋頭1個（約1.5斤）
　 地瓜粉1.5杯

● **作法**

1　材料A在鍋中調勻，開火煮至沸騰成糊狀（圖①），成為「米漿」，熄火放涼。

2　地瓜粉加入米漿中拌勻。芋頭刨粗長絲（圖②），加入拌勻，倒入抹油的鐵盤抹平，入沸騰蒸鍋以中火蒸25分鐘，取出放涼切塊。亦可回煎或油炸。

133

$ DIY預算：30元

🔥 料理時間：15分鐘

🍵 示範份量：1.5公斤

🕐 食用時段：點心

｛香蕉飴｝

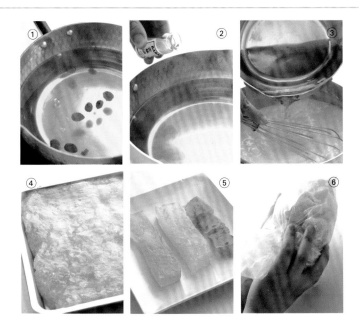

● **材料**

太白粉1杯　蕃薯粉2杯　白砂糖一杯
山梔子少許　香蕉油1/2小匙

● **作法**

1　太白粉入微波爐加熱1分鐘成「熟太白粉」，取出放涼。

2　番薯粉先以1杯水調化成「粉水」。另3杯水加糖及山梔子煮開（圖①），熄火後加入香蕉油（圖②），沖入番薯粉水中（圖③），快速攪成糊狀。盛入抹油的盤中，入鍋再蒸10分鐘至透明狀，即為Q飴（圖④）。

3　Q飴放涼後切塊（圖⑤），放入塑膠袋，加入熟太白粉，揉勻，防止沾黏即可（圖⑥）。

{ 阿 芳 的 小 吃 經 }

這種加了香蕉油的點心，真是好惡兩極，像阿芳的先生就動也不動，但家裡的娃娃就像隻大螞蟻，只要媽媽做香蕉飴，她就聞香而來，都還沒放涼呢，就直偷捏著猛說好吃。

其實，香蕉飴又稱「涼糕」，是一種傳統古早味零嘴，年節時也放在佛堂供佛或祭祖，又因為怕招惹螞蟻，所以和甜年糕一樣，加了適量的香蕉油。

香蕉油　　山梔子

在這裡，阿芳用食用色素6號做了紅色涼糕；還用降肝火用的中藥材山梔子（黃枝花）煮水，做出黃色涼糕，這種天然色素是早期做古早味黃色粉粿的用料，中藥房就有賣。

$ DIY預算：60元

料理時間：30分鐘

示範份量：20—24調

食用時段：點心

{ 雙糕潤 }

● **材料**

芋頭1條（約1斤）　細砂糖1/2杯
防沾紙、托盤各1只　黑砂糖1.5杯
沙拉油4大匙　水1杯　糯米粉2.5杯

● **作法**

1　托盤撒上少許水，鋪上防沾紙；芋頭切大拇指粗的條狀，沾上細砂糖，同向鋪在盤中，入蒸鍋蒸5分鐘。

2　黑砂糖入鍋，加沙拉油炒化熄火，加水以小火煮勻（圖①），拌入糯米粉調勻，倒入芋頭盤中抹勻（圖②），續以中火蒸20分鐘。取出放涼切長條，包上膠紙防沾防乾化即可。

{ 阿 芳 的 小 吃 經 }

在《阿芳的小吃1》中，阿芳曾提到這道點心，當時也有一位觀眾寫信給阿芳，說他父親一直懷念這古早味點心，後來阿芳在電視上也示範了這道點心。

這一兩年，要吃這道點心就不難了，屏東東港的鮪魚季做得有聲有色，這屬於當地的古早味點心開始大量出現在市場上。

雙糕潤，是閩南點心，對岸又稱為「𥻵」。正因為在米漿裡加了油脂及糖水，又Q又黏又潤口，所以得一條一條包裝，才不會黏得一團糟。套句老一輩的話，「吃雙糕潤，就要小心你的假牙，才不會黏著下肚。」

{ 黑糖粉粿 }

● **材料**
● A.黑糖3/4杯　水3.5杯
● B.番薯粉1.5杯　日本太白粉1/2杯　水1杯
● C.薑味黑糖蜜（見本書第20頁）、黃豆粉各適量

● **作法**

1　材料A的黑糖先加1/2杯水煮開，再炒香後，加入其餘3杯水，煮開成「黑糖水」。

2　材料B料勻成粉水。黑糖水熄火，立刻沖入粉水中（圖①）攪成粉糊（圖②），倒在抹油的盤上（圖③），入蒸鍋大火蒸10分鐘，取出放涼，即為黑糖粉粿。

3　食用時，取黑糖粉粿切塊，淋上薑味黑糖蜜，撒上黃豆粉即成。

{ 阿 芳 的 小 吃 經 }

這一兩年，黑糖被視為很優質的食品，到處可以買到各式各樣的黑糖製品。這道粉粿，現在在日本非常流行，阿芳用國產的番薯粉為主料，日本人是用日本太白粉加葛粉製作，稱為葛切。

在阿芳家裡，小女兒喜歡拿它加剉冰，阿芳自己則偏好沾黃豆粉吃，好香呢，再配上一杯熱抹茶，真的好滿足！

Q.吃不完的粉粿可以放冰箱保存嗎？

A.粉粿是澱粉製品，太冰就會變硬，若真吃不完，只好包好冷藏。食用時，回蒸至透明狀再放涼就可，只是，因回蒸會吸入水氣，Q勁就不如新鮮製品了。

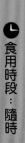

{ 客家朴粿 }

● **材料**
● A.黑砂糖1.5杯　水1/2杯
● B.冷水1杯　白芝麻2大匙　蓬萊米粉1杯
　　低筋麵粉1.5杯　泡打粉1/2小匙
　　小蘇打粉1/2小匙

作法

1　材料B的白芝麻在乾鍋中炒香盛起（圖①）。

2　材料A入鍋以小火煮至黑糖溶化成糖水，即熄火，加入材料B的冷水降溫。

3　材料B的粉類過篩，拌入糖水中（圖②），倒在已在蒸鍋中蒸熱的瓷盤（圖③），撒上白芝麻，蓋上蒸蓋蒸15分鐘，取出放涼切塊食用。

{ 阿 芳 的 小 吃 經 }
這道朴粿跟台式的發粿，不同處在於前者用蓬萊米，後者用在來米，所以客家朴粿口感更軟更Q，是一道作法簡單又可口的米食。
自己做朴粿，不需要專業模型或鍋具，只要炒鍋加上瓷盤就可。水鍋加熱，將瓷盤先放入蒸熱，再倒入米漿，這樣瓷盤邊邊的米漿就會立刻變熟，容易脫模。不過，瓷盤雖然方便，缺點是不透氣，所以放至微溫可脫模時，就要撥下翻面散熱，熱熱的水氣才不會沉底，造成濕黏現象。

Tips

{阿芳的小吃經} 客家麻糬又綿又Q，泡在可消暑、又可迅速補充電解質的溫熱黑糖水裡，可是客家莊農夫們田間午後極佳的點心。

一球球圓圓的麻糬，泡在糖水裡的模樣，像極了水牛泡在水田裡，所以這道點心就有了「牛浣水」這個有趣的名字，又因為是客家語發音，所以也有人寫成「牛汶水」。阿芳做慈濟工地團膳時，這也是一道很受歡迎的點心，不僅有飽足感，還有夏天消暑、冬天禦寒的功效。

{ 牛浣水 }

● **材料**

A.糯米粉2杯　脆花生1/4杯
　冷水適量

B.薑味黑糖蜜適量（見本書第20頁）

● **作法**

1　糯米粉放在盆中，加入1/2杯冷水，先揉出一小糰塊，放入沸水鍋中煮至浮起，撈起與剩餘的糯米粉再添適量冷水揉成糰。

2　將米糰分成小塊，揉成湯圓狀，壓扁，中央再按出一凹洞（如圖①），即為米球。

3　米球入沸水鍋，煮至浮起，撈在深盤中，淋入糖蜜，撒上敲碎的脆花生粒即成。

①

Tips

{阿芳的小吃經} 這道米糕粥是阿芳小時候就喜歡吃的甜品，不僅有媽媽的愛心，裡面有阿芳愛吃的芋頭角丁，以及盛杯後淋上少量的米酒，真是速配啊！煮好的米糕粥沒吃完，阿芳的媽媽會將它裝在夾鏈袋裡，放冰箱冷凍，我們小孩都稱它為「凍凍果」。

做這一道食譜，阿芳將芋頭先蒸熟拌糖，再加到米糕粥裡，口味特別甜香Q嫩。這比芋頭直接放在湯水中煮熟，兩者有天壤之別。這是阿芳煮這道甜點最大的堅持。

速配小吃：熟麻糬（牛浣水）（見左頁）

{ 米糕粥 }

材料
圓糯米1/2杯　水6杯
桂圓肉2大匙　蜜紅豆3大匙
芋頭1/2條　二砂糖3/4杯
鹽1/4小匙　太白粉水適量
米酒少許

作法

1　芋頭切小丁塊，入電鍋蒸熟，取出趁熱拌入1/4杯砂糖（如圖①）。

2　水加桂圓肉煮開，加入糯米，加蓋煮5分鐘，再將芋頭丁及蜜紅豆加入，以1/2杯糖及少量鹽調味後，用太白粉水苟芡，盛碗後淋上少許米酒即成。

①

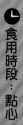

{ 新竹燒芋泥 }

● **材料**

芋頭1個（約1斤）　二砂糖1杯　水5.5杯
五香粉1/4小匙　鹽1/4小匙　玉米粉4大匙
水1/2杯　豬油蔥醬1/2杯

● **作法**

1　芋頭切塊蒸熟趁熱壓成泥（圖①）；再入果汁機中，加2杯水，打得更細緻。

2　取3杯水，加二砂糖、五香粉、鹽煮開，倒入芋泥煮（圖②）至沸騰。

3　玉米粉加水半杯，調勻，倒入煮滾的芋泥中，勾薄芡，熄火。

4　食用時盛碗，淋上少量豬油蔥即可。

{ 阿 芳 的 小 吃 經 }

芋泥，在中華料理可是一道經典的餐後甜點，一般多以八寶飯方式呈現，而且不管是在江浙館，或是宜蘭的鄉土餐廳，樣子都差不多。

倒是有一回在新竹城隍廟附近一家老甜品店，阿芳吃到了這種較稀的甜芋泥，帶著濃濃的油蔥香，讓人印象深刻。回家後，阿芳馬上如法炮製。

從那時候開始，每年冬天，這道甜芋泥便成了家人禦寒的甜品。它稀稀滑滑，口感綿細，趁熱趁香吃，馬上有溫暖的感覺。

阿芳提醒讀者，豬油蔥爆得香不香，很重要，如果您想自己做，可參考《阿芳的小吃1》，自己做一瓶，拌菜拌麵，用途很廣很實用。

豬油蔥

{ 土豆仁豆腐腦三吃 }

① ② ③ ④

- **材料**
- A.脫膜花生仁1杯　水4杯
- B.玉米粉6大匙　水1/2杯
- C.糖水、花生仁湯（見本書第149頁）、薑汁醬油、
　　柴魚片、芥末醬各適量
- **調味料**
　細砂糖1大匙　鹽1/2小匙

- **作法**

1　花生仁加水，以果汁機打成漿過濾，加入調味料煮
　開。再以材料B調成粉水勾芡（圖①），熄火，盛入
　平盤或杯模中（圖②），待冷卻後蓋上保鮮膜，冷藏
　3小時以上。

2　食用時，可脫模倒扣盤中，或切塊裝盤。搭配薑汁
　醬油、柴魚片、芥末醬，即為「日式豆腐」（圖
　③）。搭配糖水，即為「冰涼花生豆花」。搭配花生
　牛奶，入微波爐中加熱1分鐘，即為「熱花生仁豆花」
　（圖④）。

{ 阿 芳 的 小 吃 經 }

這道豆腐腦是小成本製作，做好後用小缽分裝，卻顯得特別高貴，大概是它長得白皙滑
嫩的緣故吧！如果家中沒有小杯模，也可以做成大盤，倒扣出來後，改用細線兩頭拉緊
來切塊，就能切得利口不黏刀，乾淨又俐落。

Q.花生仁該如何脫膜？又要如何保存？

A.只要到大一點的雜糧行或雜貨舖，就能買到脫膜的土豆仁。不然，就是在乾豆時用手
　去搓，再泡到水中，將浮在水面的膜撈除，但仍舊無法很乾淨，這是最麻煩的地方。
　另外，花生若不新鮮，容易長有黃麴毒素，所以不用的花生，一定要放在冷凍庫保
　存。

{ 花 生 仁 湯 }

● **材料**

脫膜花生仁1斤　鹹油1小匙　白糖1/2斤
鹽1/4小匙　即溶奶粉3大匙　油條適量

● **作法**

1　花生洗淨瀝乾水分，加入鹹油（圖①）拌勻放一夜。

2　泡好的鹹花生加清水淹過，煮至沸騰，濾去湯水（圖②），再添水淹過重新煮開（圖③）。如此約3次，至湯水呈現白色無黃鹹色，洗淨。

3　洗淨的花生仁，加水14杯入快鍋煮至沸騰聲響，改小火煮20分鐘熄火。開蓋後加上糖、鹽，並取出半杯湯汁降溫調入奶粉拌勻，再倒回花生湯裡，即可搭配油條食用。

{ 阿 芳 的 小 吃 經 }

這道花生仁湯是閩南人冬天時的家常甜品。在福建廈門，就有「黃則和」的老店，以花生仁湯聞名。

花生在豆類中屬於密度極高的豆子，不容易煮得綿鬆，必須藉由發製過程，改變密度。

端午包鹹粽時，阿芳是用濃鹽水來發花生，而這裡花生用來煮成甜品，所以改用鹹來發，主要作用是利用鹹改變花生的硬度，待吐淨鹹分後，再添水去煮，花生很快就會軟綿了。

不過，吐鹹時的換水次數，需視水中是否存有鹹味而定，要吐得乾淨花生仁湯才不會有苦鹹味。而且，不能用鋁鍋裝花生吐鹹，否則會變成黑灰灰的一鍋喔！

{阿芳的小吃經} 薏仁爽是阿芳家裡夏天的常備甜品。阿芳常笑說，若一整個夏天都吃薏仁爽，紫外線在身上可起不了大作用，皮膚還是白皙有活力。不過，薏仁的煮法一定要像阿芳這樣分兩階段煮，才會香又稠；至於薏仁也一定要多洗幾次，豆生味才不會太濃；而且得等到薏仁完全煲軟後才能加，否則煮不出軟中帶Q的口感。

Q.一次煮好的薏仁粒，要如何保存？除了煮甜湯還能怎麼煮？

A.薏仁就算用快鍋煮，時間也不算短，所以第一階段煮的薏仁粒，阿芳一定一次煮1斤，放涼後可以冷凍保存。除了煮甜品，也可以打薏仁鮮奶、煮四神湯，或加米煮成薏仁飯。薏仁飯，對胃口不開的孩子，是很好的開脾食物。

{美白薏仁爽}

● **材料**
薏苡仁（薏仁）1斤　水約16～18杯
冰糖適量

● **作法**

1　薏仁以清水浸泡3～5小時或一夜，瀝乾加入8杯水煮至薏仁熟軟（圖①），即為「熟薏仁」。（可用電鍋蒸，或用快鍋煮25分鐘）

2　取適量（約1/2斤的量）熟薏仁，再添水8～10杯，煮至湯汁呈濃稠粥汁狀，添入適量冰糖，冷熱皆宜（圖②）。

①

②

{阿芳的小吃經} 杏仁茶，外面早餐店都有賣，但都大同小異，而且很多都是現成加工品。其實，杏仁茶是一種很棒的消夜及早餐飲品，在台南的古早店舖，通常是晚上就營業，以前每當阿芳加班下班後，就會打個電話問爸媽想吃點什麼嗎，其中杏仁茶就是媽媽常點的品項。現在，要喝到那種風味香醇的杏仁茶，除了台南幾個老舖子，大概只有自己做了。

很多人不敢吃杏仁，覺得味道怪，那是吃到化學香精調製品的緣故。如果讀者想品嘗這種來自廣東潮州的地方小吃，就到中藥房買點南杏仁回家自己做，一次煮完喝不了，可以冰起來，冷喝也行，微波加熱也可，方便極了。

{ 純 杏 仁 茶 }

材料

南杏仁1杯　　白米1/2杯　　水約12杯
白糖1/2杯

作法

1　白米洗淨，以清水泡30分鐘以上，瀝乾。

2　南杏仁（圖①）與白米加水12杯，入果汁機重覆攪打後，過濾出杏仁漿。

3　生杏仁漿煮開後（圖②），加糖調味，可熱飲或冰飲。

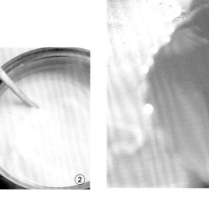

{ 熱杏仁豆腐 }

● 材料

● A.南杏仁1杯　水3.5杯

● B.地瓜粉1又1/4杯
　　日本太白粉3/4杯　冷開水1杯

● C.桂圓肉、水、八寶甜豆、糖各適量
　　鹽1/8小匙

● 作法

1 南杏仁入果汁機打成杏仁奶，過濾後得3杯杏仁奶入鍋煮開，熄火。

2 材料B調勻成粉水，立刻沖入杏仁牛奶中（圖①），攪成粉糊，倒入抹油的盤中抹平（圖②），再入蒸鍋蒸10分鐘取出放涼。

3 材料C煮開調味成甜湯，杏仁豆腐切塊加入即可。

{阿芳的小吃經} 那位寫信跟阿芳說他父親想吃雙糕潤的觀眾，還提到他父親想念一種鄉下人冬天外燴時最後的一道熱甜湯，說裡面有一種QQ的杏仁豆腐，問阿芳會不會做？問到這裡，阿芳知道這位伯父大概是南部人吧！

沒錯，一般在北部，杏仁豆腐多半是以洋菜粉凝凍，又因為洋菜遇熱會化，所以只能吃冷，不能吃熱。而這種熱杏仁豆腐，是用澱粉做成綿Q口感，所以可配上桂圓茶燒煮八寶豆，是真正總舖師的手路菜。在過年的團圓飯上，也是最好的甜湯表現。

{ 五穀麵茶 }

● **材料**

松子4大匙　　沙拉油5大匙
中筋麵粉1杯　蕎麥麵粉1/2杯
全麥麵粉1杯　糖粉1/2杯
黑芝麻2大匙　滾水適量

● **作法**

1　在乾鍋中炒香松子盛起（圖①）。油入鍋，加入三種麵粉，用小小火炒至褐黃香味溢出，熄火，即為麵茶（圖②）。

2　麵茶放涼後，以篩網過篩，再與糖粉、黑芝麻拌勻存罐。

3　食用時，在碗中放入3～4大匙的麵茶，先沖入少量冷開水調勻，再加入適量熱開水調稀即成。

Tips

{阿芳的小吃經} 在阿芳的腦海裡，永遠忘不了第一次和媽媽炒麵茶的景象。那時大概只有小學大，炒麵茶是多好玩的一件事啊！當時也沒什麼DIY風氣，一切工具克難從簡，媽媽將菜櫥木門拆下洗淨，利用上面的綠沙網，母女一人拿一邊，用來過篩炒好的麵茶，這一幕情景阿芳永遠不會忘懷。

現在生活條件好，愈簡單的食品反而容易被遺忘，如果你的孩子不曾聽過那晚上流動麵茶攤燒水的汽笛聲，找個時間一起親子動手炒麵茶吧！

{阿芳的小吃經} 這一兩年，非常流行吃炭燒豆漿，大家覺得炭燒口味豆漿似乎比較香醇些。其實，現在的黃豆多半經過基因改良，雖然病蟲害減少，產量變大，但豆子反而都不香了。所以，喝到有點炭燒香的豆漿，就覺得很香濃。

喜歡豆漿味道更濃更香的朋友，可別以為把鍋底燒得愈焦，味道就愈濃，這可是會有焦苦味的，反而弄巧成拙。倒是可以在豆漿中，添入一點炒香的黃豆粉，味道就會更香濃。

速配小吃：燒餅（見本書第110頁）

{碳燒味豆漿}

● **材料**
黃豆1/2斤 水12杯 糖適量

● **作法**

1 黃豆洗淨，先以清水浸泡4小時（夏天需加蓋冷藏）後瀝乾。

2 泡軟的豆子分次加12杯水入果汁機，打成豆漿，倒入棉袋中擠揉出濃豆漿。

3 在湯鍋中先倒入少量豆漿，開火燒乾，呈黃焦色鍋巴有濃焦香味（如圖①），再加入其餘豆漿煮至沸騰。食用時加適量糖即可。

①

$ DIY預算：10元

料理時間：20分鐘

示範份量：12碗

食用時段：點心

{阿芳的小吃經} 3年前的8月，阿芳到金門出小吃的電視外景。熱得像火爐的金門，讓怕熱的阿芳熱昏了頭，倒是，山外談天樓的這一杯甜酒釀冰湯圓，宛如人間美味，讓阿芳念念不忘。這種冷熱交疊的燒冷冰，加上冰涼的甜酒香，沒吃過的人一定要試試。
甜酒釀，很多本省人吃不慣，對阿芳來說卻很好用，除了煮甜湯，還可炒雪裡蕻、燒紅燒魚，煮麻婆豆腐、麻辣火鍋更少不了它。做甜酒釀，發酵過程很有趣（請見本書第22頁），沒玩過的人，不妨動手試試手氣

{甜酒釀冰湯圓}

● **材料**
芝麻、花生大湯圓2盒
剉冰8～10杯　焦香蜜糖漿5大匙
甜酒釀約10大匙　煉乳適量

● **作法**
1　湯圓入沸水鍋中煮至浮起。

2　取剉冰，1人份約1.5～2杯剉冰，
淋上糖漿、甜酒釀（如圖①），放
上4粒熱湯圓，淋上煉乳即成。

①

$ DIY預算：70元

料理時間：1小時

示範份量：10人份

食用時段：點心

{ 綠豆米苔目冰 }

● **材料**

A. 毛綠豆1斤　剉冰、焦香糖漿（作法請見第21頁）
各適量

B. 在來米粉1.5杯　地瓜粉1/4杯
日本太白粉1/4杯　冷水1杯　滾水1鍋
白開水1鍋

● **作法**

1　綠豆洗淨加8～10杯水，泡4小時後瀝乾，倒入有洞蒸鍋入蒸籠蒸30分鐘，取出放涼即為原味炊綠豆（圖①）。

2　材料B的粉類拌合，以冷水1杯揉成糰。取1/3量的粉糰，入沸水煮30秒撈起（圖②），與剩餘粉糰再揉勻。再取1/3量入沸水煮30秒撈起，再與剩餘粉糰揉勻。如此重複3次。

3　添加適量冷水入沸水鍋降溫，改中小火，架上粗洞的搓籤板。粉糰從孔洞慢慢推出條狀入水中（圖③），煮至浮起，撈出（圖④）以冷開水漂涼後瀝乾，即為米苔目。

4　食用時取米苔目、剉冰、原味炊綠豆，加上適量糖漿即成。

{ 阿 芳 的 小 吃 經 }

外子說，台北市民大道原本是鐵道，鐵路旁有一攤阿伯米苔目，是阿芳公公的最愛。阿芳雖然沒見過公公，卻找到了這家米苔目，果真好吃，店址就在天津街靠近南京東路巷口附近。這家店的米苔目，是米加澱粉製成，熱吃冷吃都有不同的配方。

煮出好吃的綠豆，關係這道米苔目好不好吃。阿芳喜歡買國產的毛綠豆，豆仁又鬆又Q，香味又濃。一般超市賣的綠豆，多半是低價進口的油綠豆，一分錢一分貨。

若讀者覺得做炊綠豆麻煩，可參考「阿芳的快鍋菜」一書，改用快鍋來煮蜜綠豆，不僅豆仁Q甜，天氣炎熱時也不容易酸壞。

$ DIY預算：40元

○ 料理時間：20分鐘

◎ 示範份量：4人份

● 食用時段：點心

{ 涼沙圓 }

● **材料**

● **A.** 番薯粉1/2杯　日本太白粉3大匙（澄粉亦可）
　　水2杯

● **B.** 各式無油豆沙適量　冰枕1塊

● **作法**

1　豆沙揉成小餡球，入冷凍庫略凍成型。

2　材料A調勻成粉水，分為2份，其中1份入小鍋邊煮邊攪，待鍋邊起泡離火，續攪成糊狀（圖①）。

3　另一半粉水倒入糊中攪勻成粉糊（圖②）。粉糊稠度需滴下滴痕不會消失方可。（太稀可回爐上再略加熱攪勻）。

4　蒸盤鋪上濕布巾或防沾紙。蒸鍋水煮沸，豆沙球入粉糊沾裹，以湯匙舀在布巾上（圖③），入蒸鍋以中火蒸3分鐘，取出淋上冷開水降溫，即可排在冰枕上冰涼即可。

{ 阿 芳 的 小 吃 經 }

到西門町看電影，騎樓下常見有做涼沙圓的攤子。有時大夥兒趕著電影上場，涼圓還供不應求呢！

涼圓QQ的外皮，是由澱粉糊化蒸熟，所以只能用冰枕由下而上枕涼，不能直接放進冰箱冷藏，否則會變硬。

這一兩年，賣場上有一種較涼圓大一點的日式涼圓，可以放冰箱冷藏而不會變硬，主要關鍵在它的外皮加了葛根的澱粉。葛粉的含水量高，即使低溫保存，也不會破壞口感。但因葛粉是日本進口，相對的，用它做的涼圓價格就比本土的涼沙圓高多了。

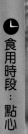

$ DIY預算：30元

料理時間：10分鐘

示範份量：7人份

食用時段：點心

{ 冬瓜露洋菜凍 }

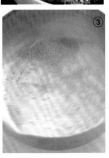

● **材料**

● A.冬瓜糖1磚　水1杯

● B.二砂糖2大匙　水6.5杯　洋菜粉1.5大匙

● **作法**

1　材料A入小鍋，以小火慢煮至融化（圖①），即為「冬瓜露」。可放涼裝瓶（圖②），不需冷藏，分次使用。

2　二砂糖加洋菜粉，在乾鍋中搖勻（圖③），加入水及1/2杯的冬瓜露煮開，裝模冷卻凝固後，冰涼食用。

{ 阿 芳 的 小 吃 經 }

很多人到台南都喜歡去永福路排隊買冬瓜茶。這家百年老店的冬瓜阿公，遵從古法做了一輩子冬瓜露。阿芳也是聞他們家的冬瓜香長大的。現在的第三代經營者，和阿芳還是小學同窗，以前每次阿芳回台南時都會去光顧，順便帶回整罐的冬瓜露。

現在，阿芳工作忙，不常回台南，只好在台北買整塊冬瓜糖自己溶成冬瓜露，孩子可以隨時沖泡，冰得涼涼的，好吃又消暑。阿芳現在就將這道古早味甜品教給大家。

附錄

本書計量單位與換算

- 1　　兩 = 37.5公克
- 1　　斤 = 16兩 = 600公克
- 1 小匙 = 1茶匙 = 5公克 = 5cc
- 1　　杯 = 250cc
- 1 大匙 = 15克 = 15cc
- 少　　許 = 略加即可，如香油、胡椒粉等材料添加。
- 適　　量 = 視個人口味增減分量，如「鹽」的鹹淡以每個人能接受程度而定，又如太白粉水，亦是慢慢加入勾芡，直至自己喜好的濃度即可。

◆滷一鍋好肉燥
　手工肉燥・家常簡易肉燥
　素香菇肉燥

◆調一碗好醬料
　辣米醬・米醬・醬油膏・
　辣椒醬・海山醬・辣渣辣油
　椒麻醬・參酒・蒜泥醬・
　山葵醬（哇沙米）

◆爆一點好香料
　豬油蔥・扁魚酥・蒜頭酥

◆醃一些好泡菜
　台式泡菜・糖醋黃瓜
　辣高麗菜乾・炒酸菜・醃梅薑

◆熬一鍋好湯頭
　豬骨（大骨）高湯・雞高湯
　柴魚高湯

小吃的世界，沾料、淋醬常是美味與否的主要關鍵。

　　除本書所介紹的醬料，在阿芳第一本的小吃作品中──《阿芳的小吃》，也介紹有許多製作小吃時、主宰美味的基本高湯＆醬料，如果，您在使用本書時，看到一些醬料或高湯，無法在本書找到作法介紹，您可以：

　　直接購買坊間現成的濃縮高湯、醬料。或是打開《阿芳的小吃》，找到您所想要學的高湯、醬料，好好練就小吃功夫。

　　此外，對於某些小吃，阿芳還特別介紹有「速配小吃」，同樣的，有些是出自本書所介紹的小吃，有些則來自《阿芳的小吃》。

想要看看阿芳的第一本小吃中
有那些美味好料？

◆南北小吃72變

肉燥飯＆滷油豆腐‧雞肉飯‧台南米糕‧筒仔米糕‧廣東粥‧台南虱目魚粥‧彰化肉圓‧清蒸蝦仁肉圓‧阿芳碗粿‧油蔥粿‧客家鮮肉湯圓‧客家粄條‧抓抓麵‧宜蘭魚丸米粉湯‧川味雞絲涼麵‧鹽水意麵‧炸醬麵‧紅燒牛肉麵‧清燉牛肉麵‧台南擔仔麵‧鍋燒雞絲麵‧排骨酥冬粉‧豬腸冬粉‧蚵仔大腸麵線‧香菇肉羹麵‧鱔魚意麵‧沙茶魷魚羹＆燙活魷魚‧紅燒魚土魠魚羹‧北港鴨肉羹‧大鼎赤肉羹‧生炒花枝羹‧溫州大餛飩‧四神湯‧豬血腸子湯‧岡山羊肉湯‧當歸鴨＆米血‧當歸豬腳＆藥燉排骨‧基隆雞卷‧安平蝦卷‧天婦羅‧甜不辣‧阿給＆淡水魚丸湯‧鹿港芋丸‧棺材板‧金鼎邊趖‧蚵仔煎‧下港潤餅‧鍋貼‧山東水煎包‧臭豆腐‧麻辣臭豆腐‧臭臭鍋‧鹽酥雞‧屏東燈籠燒滷味‧豆花‧車城綠豆饌‧燒仙草‧芋圓‧燒脆圓‧粉粿＆粳仔粿‧黑糖糕‧鹹蛋糕‧麵煎粿‧麻糬＆古早味豆薯‧白糖沙翁‧芋粿巧‧番茄切盤‧檸檬愛玉

國家圖書館出版品預行編目資料

阿芳的小吃2 ／ 蔡季芳著. -- 初版. -- 臺北市： 臺視
文化，2004〔民93〕
面 ； 公分. -- （食譜系列）
含索引
　　ISBN 957-565-659-8（平裝）

　　1.食譜

427.1　　　　　　　　　　　　　　　　93020533

台視文化全球資訊網：
www.ttvc.com.tw

Printed in Taiwan

食譜系列12041430

台・視・叢・書　有・口・皆・碑

阿芳小吃2

作　者／蔡季芳

訂　價／三五〇元

出　版／台視文化事業股份有限公司
　總經理／發行人：王智應
　董事長：林森鴻
地　址：台北市八德路三段二號十一樓
電　話：（〇二）二五七八－五〇七八
　　　　（〇二）二五七七－五五七九
傳　真：（〇二）二五七七－〇一八五
電子信箱：ttvcbok@mail.ttvc.com.tw
郵政劃撥：〇一四六九六六五 台視文化公司

製作群／
　主　編：廖雁昭 編輯協力：丘慧薇
　美術主編：林曉涵 封面、內頁設計：李慧聆
　　　　　攝影：徐博宇 林宗億

初版／二〇〇四年十二月
初版七刷／二〇〇六年十月

行政院新聞局北市業字第七九〇號
◎本書保留所有權利，如欲利用全部或部分內容，
請先取得台視文化公司授權。
台視文化公司版權洽談電話：二五七九－五三八八

【版權所有・翻印必究】本書如有漏印、脫頁、污損，請寄回替換

廣 告 回 信
台灣北區郵政管理局
北台字第4427號
郵資已付‧免貼郵票

台視文化事業股份有限公司 收

台北市八德路三段一一號十一樓

服務電話：(02) 25785078　　劃撥帳號：01469665

叢書專線：(02) 25775579　　戶名：台視文化公司

請寄回這張讀者服務卡，您可以——

‧獲得本公司最新出版資訊

‧參加各項回饋優惠活動

請沿虛線剪下後，對折裝訂，直接投入郵筒寄回，謝謝！

服務電話：

書名：

姓名：	性別：□男 □女

出生日期：　　　年　　　月　　　日

教育程度：□小學　□國中

　　　　　□高中職　□專科/大學

　　　　　□研究所

職業：□學生　　□軍公教　□服務業

　　　□金融業　□製造業　□資訊業

　　　□自由業　□家庭主婦

　　　□其他＿＿＿＿＿＿＿＿＿＿＿

地址：＿＿＿＿＿縣市＿＿＿＿鄉鎮區

　　　＿＿＿＿村＿＿＿里＿＿＿鄰

　　　＿＿＿＿路＿＿＿段＿＿＿巷

　　　＿＿弄＿＿號之＿＿樓

電話：(O)　　　　　　　(H)

Email：

台視文化公司·讀者服務卡

謝謝您購買這本書。

為了加強對您的服務,請詳填本卡各欄,直接投入郵筒寄回(免貼郵票),您將不定期收到本公司最新出版訊息,及各項優惠活動預告。

購書地點:□書店,＿＿＿＿＿縣市＿＿＿＿＿書店 □書展 □郵購 □其他＿＿＿＿＿

您從何處得知本書出版? □電視 □雜誌 □報紙 □廣播 □書訊

　　　　　　　　　　　□逛書店 □書展 □其他＿＿＿＿＿＿＿＿＿＿＿＿

您通常以何種方式購書? □書店 □劃撥 □書展 □量販店 □其他＿＿＿＿＿＿＿

您購買的叢書種類是: □食譜 □保健 □親職 □生活 □趨勢 □其他＿＿＿＿＿＿

您購買這本書的原因? □對書的內容有興趣 □工作或生活需要

　　　　　　　　　　□其他＿＿＿＿＿＿＿＿＿＿＿＿＿＿＿＿＿＿

您認為本書的編排:□專業水準 □賞心悅目 □設計平平 □有待改善

　　　　　　　　　□其他＿＿＿＿＿＿＿＿＿＿＿＿＿＿＿

您認為本書的封面:□非常出色 □平凡普通 □毫不起眼 □其他＿＿＿＿＿＿＿

您認為本書尚須改進的地方?

＿＿＿＿＿＿＿＿＿＿＿＿＿＿＿＿＿＿＿＿＿＿＿＿＿＿＿＿＿＿＿＿

您希望本公司出版何種類型的書籍?

＿＿＿＿＿＿＿＿＿＿＿＿＿＿＿＿＿＿＿＿＿＿＿＿＿＿＿＿＿＿＿＿

您的建議:

＿＿＿＿＿＿＿＿＿＿＿＿＿＿＿＿＿＿＿＿＿＿＿＿＿＿＿＿＿＿＿＿

＿＿＿＿＿＿＿＿＿＿＿＿＿＿＿＿＿＿＿＿＿＿＿＿＿＿＿＿＿＿＿＿

若對本書內容還有其他疑問,歡迎您將問題E-mail至cook@mail.ttvc.com.tw,我們將儘速為您解答。

請沿虛線剪下後,對折裝訂,直接投入郵筒寄回,謝謝!